体験の哲学

地上最強の人生に役立つ哲学活用法

飲

ポプラ社

哲学をどう人生に役立てるのか？

世界には未体験が溢れている。

体験を意識して味わって生きよ。

なっちゃいない。
漫然と日常を生きるな。
何を前にし、何をしているかを意識しろ。

行為それ自体が目的となるような
行為こそが幸福だ。

第一章　体験の哲学

第二章　体験の効能

第三章 「体験する」ための作法

第四章 体験のチェックリスト

第一章

体験の哲学

人生を幸福にする哲学はあるのか

今まで哲学の入門書をずっと書いてきました。ありがたいことに評価も好調で、(『ソフィーの世界』『超訳ニーチェの言葉』などのお化け作品は除くとして、一万部も売れればヒットとされる)哲学のジャンルにおいて出せば必ず増刷――十万部を超える本もようやく出せるぐらいにまでなってきました。

そんな私は、本業では科学技術関連のＩＴベンチャー企業を経営しています。起業時は血を吐くほど苦労しましたが、今は順調。社員が育ってくれたので、かなり楽をさせてもらっています。また最近では、全然違うジャンルの漫画原作も行うようになり、これまたありがたいことに、映像化の話もちらほらと舞い込んでくるようになりました。

——と、こう書けば順風満帆な人生を歩んでいるように思えるかもしれません。

が、私自身は、古代ギリシアの哲学者エピクロスの「隠れて生きよ」という哲学にならい、本名を伏せ、極力メディアに出ず、出ても顔をマスクで隠すなどして目立たないように生きています。おかげ様で、無用なトラブルもなく、しつこいアンチに付きまとわれることもなく、穏やかな日常をひっそりと過ごさせてもらっているのですが、周囲の人たちからはよくこんなことを聞かれます。

「あなた自身はどんな哲学を持っているのですか？」

「あなたは哲学をどう人生に役立てているのですか？」

実際、様々な出版社さんからも「ビジネスに役立つ哲学入門書を書いてほしい」「生きるのがツラい人向けに幸せになれる哲学の本を書いてほしい」などと言われます。これは、現代社会がますます厳しい状況になってきており、それゆえ哲学（先人たちの思考法）に解決策を見出したいという多くの人たちの願望のあらわれなのだろうと思います。

しかしです。哲学とはそういったものではありません。哲学とは「役に立つ／立たない」といった次元で考えるものではありません。むしろ「役に立つとは何か？」という根本を問い直すものなのです。

——と一応、断らせてください。（私を含む）哲学ファン、哲学愛好家たちは、基本的に哲学を「ビジネスや日常で役に立つ」という文脈で語られることを嫌います。哲学が好きであればあるほど、その傾向は顕著です。それは言わば、ガチのロックファンの前で「ロックミュージックって、聴くとみんな一緒に頑張ろうって気持ちになるよね。だから社会の役に立つ音楽だよね」と言うようなものです。そんなことを言ったら、「いやいや、おまえロック全然わかってないな。そもそもロックの起源というものはだな――」と怒られるわけです（私も哲学愛好家の一人なのでその気持ちはよくわかります）。

そういう事情もあり、先の「ビジネスや生活に役立つ哲学入門」のオファーがきたときは、「哲学とはそういうものではありませんので」と基本的にお断りしてきたのですが――、とはいえ私自身、哲学が自分の人生にまったく役立っていないかと問われれば、そんなことはなく、「人生の役に立った哲学」というのはたしかにあったように思います。もちろん、それは哲学者のもっともらしい格言をただ引用して、「これこれの局面で人生の判断に使えますよ」といった単純なものではありません。どちらかと言えば、認識論、存在論、心の哲学など様々な哲学を一通り学んだ結果、自分の中で結実したひとつの「哲学体系」のようなもの。

そうした自分の哲学（あえてチープに人生哲学と呼びます）があるとして、「その哲学は、あなたの人生を幸福にしましたか？」と問われれば、「はい、人生の役に立ち、幸福になりました」と答えざるを得ないでしょう。

ならば、その哲学を、せっかく与えられたこの場を借りて形にしてみてはどうか。そのように思ったわけです。

ただし、私がこれから語る哲学は、知識的なものではありません。たとえば、「何世紀にどこどこの国の哲学者がこんなことを言いました」といった情報をここで多く語るつもりはありません。つまり、本書は、私が今まで書いてきた入門書のような「哲学の知識がざっくり手軽に学べる」といった類のものではないということです。

これから私が書きたいと思っている哲学は「体験の哲学」――それは、その名が示す通り「実践的」なもの、つまり、実行（体験）して初めてわかる哲学です。

私は、基本的に「実践しないで知識だけを得るような学習」は、（それ自体が娯楽もしくは職業として専門的にやっているのでないかぎりは）哲学であれ何であれ、それこそ役に立たないと思っています。

むしろ知識より実践。そちらに重きを置いた方が、「哲学」の本質に近づけるのではないかとさえ思っています。

また、これから語る哲学の特徴について、もうひとつだけ前置きさせてください。

みなさんもご承知の通り、人生とは選択の連続です。右へ行くか、左へ行くか。どの学校に進学するか、どの会社に就職するか、どの人に告白するか。誰もがそうした「あれかこれか」を選んで生きています。

だからこそ、「正しい道を選ぶ先人たちの賢い思考法」をみなが求めるわけですが、実のところ、そうした選択において哲学の知識や哲学者の格言がそのまま役に立つことはあまりありません。

なぜなら、人生とは「一回かぎりの再現性のないもの」であり、また、その選択はあまりにも個別的な問題で「ケースバイケース」だからです。実際の話、「田中さんが鈴木さんに告白するべきか？」という具体的な選択の局面において「やらない後悔より、やる後悔」といった抽象的な格言を持ち出したところでほとんど役に立たないし、それこそケースバイケースでしょう。

それに、どんなに賢く道を選んだからといって必ず成功するとはかぎりません。成功については、むしろ運の要素の方が強いと言ってもよいでしょう。用意周到な人が失敗し、いい加減でノリだけでやっていた人がなぜか大成功するなんてのはビジネスの世界でもよくある話です。

では、だとしたら、哲学は、具体的な人生の選択において何の役にも立たないのでしょうか？

たしかにある意味ではそうかもしれません。しかし、実のところ、そこはまったく問題ではなく、なぜなら私がこれから語ろうとしている哲学とは、次のようなものだからです。

「何をどう選ぼうが幸福になれる哲学」

そもそも右へ行ったらこうなる、左へ行ったらこうなるといった瑣末《さまつ》な予測にとらわれているようでは下の下。それよりも、どう選ぼうが、いや、選ばないでその場にとどまっていたとしても、即座に今この瞬間に幸福になれるような哲学。仮に人生に役立つ「人生哲学」なるものがあったとするなら、こういったものこそが最強の哲学なのではないでしょうか？

実践的な「体験の哲学」とは何か？

では、本書が語ろうとしている実践的な「体験の哲学」とは何か。

まずは本書の巻末をパラパラとめくってみてください（第四章体験のチェックリスト、178ページ）。単語がびっしりと並んだページが見つかります。

ここに並ぶたくさんの単語――それらはすべて何らかの「体験」です。たとえば「食べる」の項目の「フルーツ」の「イチゴ」は「イチゴを食べる」という体験をあらわしており、「する」の項目の

「運動」の「ジョギング」は「ジョギングをする」という体験をあらわしています。

本書では、このように並べられた数々の「体験」に対して、「それを行ったときに□にチェックを入れていき、すべての体験のコンプリートを目指す」

ということを推奨しているのですが――実は、このちょっとしたゲーム感覚の遊びこそが本書で語りたい「体験の哲学」のすべてです。

ようは、イチゴを食べたらイチゴの□にチェックを入れ、メロンを食べたらメロンの□にチェックを入れる（図A参照）――というただそれだけの話。つまりは「体験のチェックリスト」、もしくは「体験のスタンプラリー」とでも思ってもらえばわかりやすいでしょうか。

図A

では、なぜ本書はそんなことをわざわざ勧めるのか？

それは多くの人々が、普段、「体験を意識しないで生きている」からです。

今世紀最大の哲学書とも言える格闘漫画『刃牙《バキ》』シリーズにおいて、こんなシーンがありました。

父親と息子。その親子の食事。食卓という何気ない日常の場において、息子の刃牙は「いただきます」と会釈した父親・範馬勇次郎の姿にこんなことをぼんやりと考えはじめます。

「いったい何に頭を下げたのだ!!?」

それはとても深い深い哲学的な問い。たしかに言われてみれば、「いただきます」という習慣的な会釈は、いったい何に対して感謝を示しているのだろうか。いや、まずそもそも何に対して感謝を示すべきなのだろうか。それは食材となった生き物か？ それともその食材を作った人か？ それとも料理をした人か？ もしくは、それらすべてか？

しかし、そんな考え事をする息子の様子を見て、父親はこう諭します。

「なっちゃいない。漫然《まんぜん》と口に物を運ぶな。何を前にし――何を食べているのかを意識しろ。それが命喰う者に課せられた責任――義務と知れ」

この父親の言葉にハッとした人が多かったのか、このセリフのページの切り抜きがネット上に溢れかえり、作中でも屈指の有名なシーンとなりました（なお、本書では、リスペクトからこの範馬勇次郎を帯に使用させていただきました）。

実際、みなさんはどうでしょうか。日々の食事において漫然と口に食べ物を運んではいないでしょうか？　父親に諭された主人公の刃牙のように、別のことを考えながらぼんやりと食事をしてはいないでしょうか？

いや、食事以外でもそうです。皿洗い、掃除、着替え、入浴――

様々な日常生活。それらを意識せず、ただ漫然とやってはいないでしょうか?

そういう人には、主人公の父親、範馬勇次郎にならってこう言わせてください。

「なっちゃいない。漫然と日常を生きるな。何を前にし、何をしているかを意識しろ」

「人生とは体験の束である」

そもそも、人生とは日常的な体験の集まりであると言えます。すなわち、「人生＝体験の集合」ということ。経験主義の哲学者ヒュームが「私とは知覚の束である」と洞察したことにならって、もう少し哲学の格言っぽく言えば、「人生とは体験の束である」と言い換えてもよいかもしれません。

このように人生と体験が互いに密接に関わっているとするなら、当然、「体験の質を向上させれば、人生の質も向上する」し、「体験が豊かになれば、人生も豊かになる」と言えるわけですが、このことは逆にこう言うこともできます。

「もしあなたが体験を意識せず薄ぼんやりとしか味わっていないならば、あなたの人生もまた薄ぼんやりとしたものとして過ぎ去っていくだろう」

本書が「真に解決したい問題」はこれです。この「薄ぼんやりとした人生」を知らず知らずのうちに生きてしまう問題をどうすればよいのか。その解決策、処方箋として本書では「体験のチェックリスト」を提示するわけですが、このチェックリストを通してあなたに伝えたいことはひとつ。

「普段見過ごされている日常的な体験に目を向け、その体験を意識して味わって生きよ」

つまるところ、本書が語りたいことは、この一点に尽きます。なぜなら、こう生きる以外に、薄ぼんやりとした人生を乗り越えて「真の自己」を手に入れ「真の人生」を生きるということは起こり得ないからです。

だから、どうかこの言葉を胸に刻み込み、本書を読み進めてください。きっと読み終えたときには、世界がまったく違って見えるようになり、今まで体験したことのない「充実した人生（幸福）」があなたにおとずれることでしょう。もちろん大げさな話に聞こえるかもしれません。が、もしあなたが一度も体験について考えたことがない――哲学したことがないのであれば、本当に効果てきめん。人生が一変する可能性があります。

生きているとは、体験していることである

では、なぜ体験を意識して味わうことが大切なのか？
それに答える前に、まず次の問いを考えてみてください。

「生きている、とはどんな状態だろうか？」

この問いについては、人それぞれの様々な回答があるでしょう。
たとえば、次のようなもの――

「生きているとは、心臓が動いていることである」
「生きているとは、脳が動いていることである」
「生きているとは、夢に向かって成長することである」

なるほど、それぞれもっともな回答に思えます。しかし、実際には次の回答が正しいのではないでしょうか？

「生きているとは、あなたが何らかの『体験』をし、それを感じている（味わっている）状態のことである」

たしかに「生きていることの定義」は人それぞれかもしれません。しかし、「あらゆる条件に先立って絶対的に必要な、生きていることの条件」を哲学的（原理的）に問いかけてみるならば、やはり

「体験していること」がその答えになるのではないでしょうか。

このことは「体験の定義」について考えてみれば明らかです。

「体験」の定義は、辞書に次のように書かれています。

（1）実際に経験すること、またはその経験内容。
（2）哲学用語で、主観的に見出される生き生きとした意識過程。

ここで注目してほしいのは（そして本書で採用したいのは）、もちろんふたつ目の定義です。

たとえば、あなたが何らかの赤いもの――リンゴとかサクランボとか――を見たとします。

そのとき、あなたの意識には、ありありとした「赤色」が実際に映っているわけですが、この赤色が意識の上に映っているとい

図B

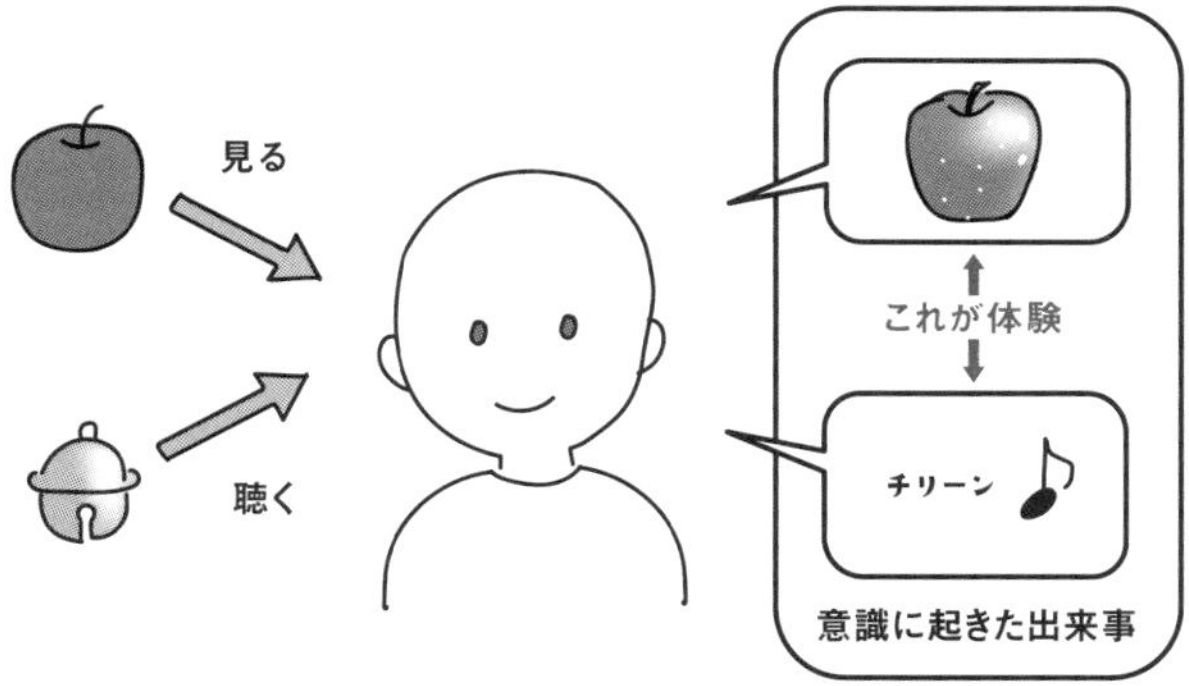

う「現象そのもの」を哲学では「体験」と呼びます。わかりにくければ単純に「あなたの意識に赤いものが見えていること、それが体験である」ととらえてもらってもよいでしょう。

もちろん、これは色（視覚）だけの話ではありません。鈴の音を聞いてあなたの意識に「チリーンという音が鳴った」としたら、それは体験です。チョコレートを食べてあなたの意識に「甘い味が広がった」としたら、それも体験です。つまり「あなたの意識に何かが起こった」とき、それらはすべて体験だということです（図B参照）。

では、こうした体験がなくなった——つまり、ある日突然、リンゴを見ても「赤色」があなたの意識に映らなくなり、食べても「甘さ」が意識にあらわれなくなった——など、あらゆるいっさいの感覚があなたの意識に起こらなくなったと想像してみてください。

このときあなたは完全な暗闇に放り込まれます。意識に「何も映し出されていない」のだから当然です。

ところで「思考（考えること）」も実のところ「意識に映し出される感覚のひとつ」であり「体験」の一種だと言えるわけですが、せっかくだから、これもなくなったと想像してみましょう。つまり、脳が動いて何らかの判断を下したとしても、あなたの意識には

「思考（言葉やイメージ）がいっさい浮かんでこない」という想定です。

さあ、こうなってしまえばもう終わり。もはやあなたは暗闇に放り込まれたということにすら気づきません。なぜなら「私は無感覚で暗闇に放り込まれている」という言葉もイメージも意識に浮かんでこないからです。そして、この状況においては「時間」というものも存在しません。なぜなら、私たちにとって時間とは、「時間が過ぎ去っている」という感覚があって初めて認識できるものだからです。

まさに完全なる「無」の状態。「死」というのは、これが永遠に続く状態だと言ってもよいでしょう——が、実のところ、この「無」の状態は私たちのもとに毎日のようにやってきています。

ここまで言えば気づいた人も多いかと思いますが、そう、ぐっすりと眠り込んでいる状態――「熟睡」の状態です（念のため断っておくと夢をみている状態は熟睡とは考えません）。
では、先ほどまで述べてきた「体験がなくなった状態」と「熟睡状態」の似ている点を並べてみましょう。

・意識に何の感覚も思考も浮かんでこない
・時間を認識することができない

このような点があるゆえに「熟睡状態」から目が覚めたとき、私たちはまるで時間が消し飛んでしまったかのように感じるわけですが、では果たしてこの「熟睡状態＝体験がなくなった状態」のとき、私たちは「生きている」と言えるでしょうか？

医学的な観点、生物学的な観点では「生きている」と答えるかもしれません。が、本書では（そして哲学的な観点では）「生きていない」と答えたいと思います。

だって、実際そうじゃないでしょうか。もしあなたの寿命が100歳だとして、100年間身体が生命活動を続けていたとしても、肝心のあなたの意識が「熟睡状態」であったなら（あなたの意識に何の感覚も起きなかったとしたら）……それはもう「死んでいる」のと同じではないでしょうか。

たとえば、誰かがあなたにこんな薬を渡したとします。

「これは完全熟睡薬です。この薬を飲むと、あなたの意識は熟睡状態になり、永久に何も感じなくなります。でも大丈夫。脳や身体はそのまま正常に動き続けます。つまり、あなたの意識が何も感じていなくても、身体の方は勝手に動き続け、今まで通りいつもの場所に通い、今まで通り周囲の人たちと会話をし続けるというわけです。結局、この薬で変わるのは『あなたの意識に何の感覚も浮かんでこなくなる』という、その一点だけ。それ以外は外面的には何も変わりません。さて、どうでしょう？　一億円あげるので、この薬を飲んでくれませんか？」

さあ、あなたなら、この薬を飲むでしょうか？

おそらく、いや間違いなく答えは「否」でしょう。なぜなら、この薬によって引き起こされる状態というのは、あなたにとって「死」そのものだからです。

また、別パターンの思考実験として、仮にこの薬に効果時間があり、寿命で死ぬ一分前に効果が切れるものだったとしてみましょう。この場合、二十歳で飲んだとして八十年後にふっと薬の効果が切れて病室のベッドで目覚めるわけですが、このときあなたは、八十年分の人生に満足して死を迎えることができるでしょうか？

いや、できないはずです。熟睡から目が覚めたときと同じように時間が一瞬で過ぎ去ったとしか感じられない――すなわち、寝て起きたら八十年もの時間が経っていてしかも死ぬ寸前だったという状況――なのですから、「なんて自分は人生を無駄にしてしまったんだ」と嘆いて強く後悔するのではないでしょうか。

あなたは「哲学的ゾンビ」になっていないか？

このように、意識に何も感覚が起こらない状態――体験がない状態というのは、私たちにとって「死」そのものだと言えます。もっと言えば、その状態とは「私が存在していない、無の状態」だとも言えるでしょう。

とするならば、私たちはこの「体験がない状態」を恐れ、可能なかぎり避けるべきであるわけですが、実際のところはどうでしょう？　おそらく現実は逆で、ほとんどの人がその恐ろしさを自覚せず、むしろ積極的に「体験がない状態」を目指して生きているのではないでしょうか？

きっと誰しもこんな経験があると思います。

「あれ？　そう言えばここにどうやって着いたんだっけ？」
「あれ？　そう言えば家に鍵かけてきたっけ？」

たとえば初めての通勤や通学――そういった初体験のことであれば、私たちは注意深く周囲を窺《うかが》います。なぜなら、何が起こるかわからないから。しかし、毎日毎日ずっと同じ道を通い、同じ行動をしていた場合には、そこに何か目新しいことが起きるわけではないため私たちは注意を払うことをやめてしまいます。

もちろん、身体に備わる感覚器官は正常に働いているでしょう。あなたが注意を払うことをやめたとしても目はちゃんと景色をとらえており、耳はちゃんと音を聞いています。しかし、にもかかわらず意識はその感覚を受け取っていない。その結果として、まるで時間が消し飛んだかのような「気がついたら○○が終わっていた」「○○をしたかどうか覚えていない」といった不可思議な現象があなたの身に起きるのです。

なぜそんなことが起きるのか？

その答えは端的に言えば「どうでもいいから」。人間には「どうでもいい情報、感覚は、無視してなかったことにする」という機能があるからです。

たとえば、ちょっと耳を澄ませてください。

周囲で音が特に鳴っていなくても、耳には「キーン」などの耳鳴りのような音が常に響いています。よく注意して聞けば、今この瞬間でもその音が聞き取れるはず。しかし、今、こうして言われるまでそんな音は聞こえていなかったでしょう。耳という感覚器官が正常に機能し、その音をちゃんととらえていたにもかかわらずです。では、なぜ注意を払えば聞こえるはずの音が普段聞こえていないのか？

それは先の答えの通り、「そんな音どうでもいいから」です。

ちなみに、この「どうでもいいから」という理由で意識から追い出されている感覚は、実は他にもたくさんあります。

たとえば「足の裏」「背中」「お尻」などの皮膚の感覚もそのひとつでしょう。私たちは、普段、日常のほとんどにおいて、足の裏が地面（床）に接しています。だから、当然、足の裏の皮膚は何らかの触感を感じているはずなのですが、私たちはそれを意識して感じていることはまったくありません。これもやはり「足の裏の感覚なんかどうでもいいから」です。

もちろん、こういった「感覚無視」は、生きる上で便利な機能だと言えます。大切な人と会って話をしているときに、足の裏の感覚まで気にとめるのは非効率。そんなどうでもいい感覚より、目の前のもっと大切な感覚に注意を向けるべきでしょう。

しかし、問題は、その便利であるはずの「感覚無視」の機能が「日常生活全体にまで及んでしまった」ときです。仮に、あなたにとって「大切なもの」「興味をそそるもの」が何もなく、すべての日常生活が「どうでもいいもの」になってしまったらどうでしょうか？

おそらく、そのときにはあなたの人生の大半が、足の裏の触感のように、耳鳴りのように、「どうでもいい感覚」となって意識にのぼることなく通り過ぎていき、本来であれば膨大にあったはずの人生の時間をほんの少ししか実感できないまま、あっという間に寿命を迎えることになってしまうでしょう。

当然そんな羽目には誰だってなりたくない。時間が加速したかのように過ぎ去り、あっという間に老人になって寿命がくるなんてゾッとする話です。が、そうは言っても歳を重ねるたびに、「注意の対象から外れるような出来事（どうでもいいこと）」が人生の中にどんどん増えていっていることも否定しがたい事実のように思えます。

実際、子どもの頃、私たちにとって、人生に起こるあらゆる出来事は新鮮なものでした。それゆえ世界はくっきりと見え、時間もゆっくりと流れていました。しかし、大人になり日常の出来事が新鮮さを失うにつれ、世界はぼんやりとしていき、時間が過ぎ去るのも早くなってしまいました。

それはおよそ、次の図Cのような進行でしょう。

図C 大人になるにつれて世界の新鮮さが消えていく

①帰り道を歩いている主観的な絵。すれ違う人がいたり、石ころや落ち葉など詳細がくっきり見えている。

②石ころや落ち葉など細かいものは目に入っていない。

③目に入ってくるものは、ただの情報（記号）でしかない。

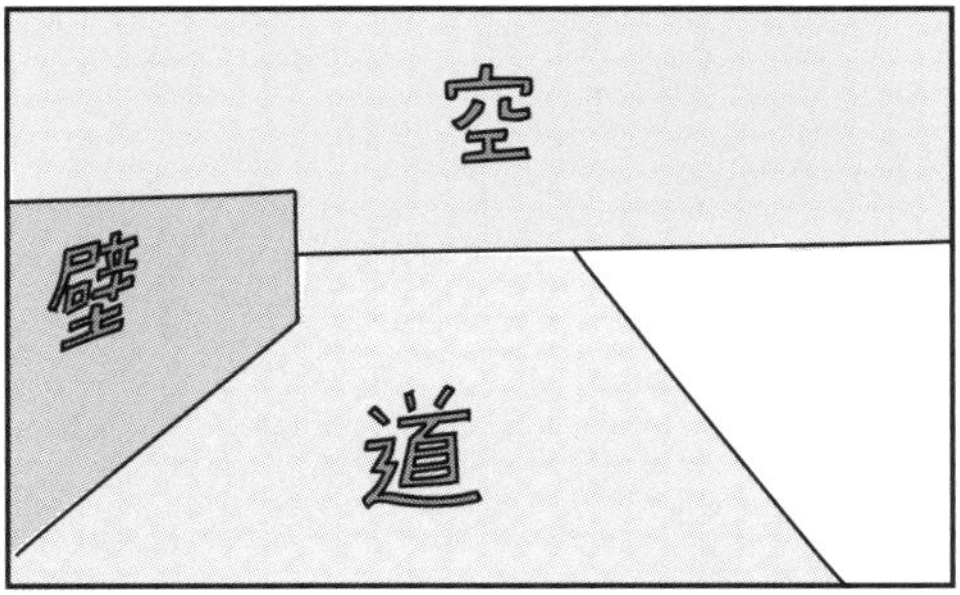

④体験がない状態。ぼんやりとただ「帰り道」がある。

加齢と共に進むこうした症状は、誰もが思い当たることだと思いますが、この症状が極端に進んだ状態が、図Cの④──「体験がない状態」、すなわち本書で言う「生きていない状態」です。実は、この状態のような「身体は習慣通り日常生活を営んでいるが、内面的には何も感じていない人間（意識に注目すべき対象がなく、何の感覚も受け取っていない人間）」のことを哲学の世界では「哲学的ゾンビ」と呼びます。

もし、あなたがこの「哲学的ゾンビ」になってしまったとしたら、そこでもうあなたの人生は終わりです。一瞬で時間が過ぎ去り、気づく間もなく寿命を迎えて、あっけなく生涯を終えてしまっているでしょう。

もちろん、それは大げさな言い方です。しかし、だとしても「プチ哲学的ゾンビ」ぐらいにならば、あなたもなりかけている可能性はあるのではないでしょうか。子どもの頃は、あんなに長かった夏休み。それがあっという間に一ヶ月どころかもう一年も過ぎていた――と、そんなふうに「時の速さを実感する」ようになっていたとしたら、本当に「プチ哲学的ゾンビ」を疑ってもよいかもしれません。なぜなら、原理的には、意識から注目の対象が減れば減るほど、過ぎ去る時間――人生において無視される時間――が増えるからです。

では、そうならないためにはどうすればよいか？

それこそが、冒頭で述べた本書が伝えたいことです。

「体験を意識して味わって生きよ」

なぜこれが「哲学的ゾンビ」の処方箋になるのか。それはもう今まで述べてきた通り。意識から注目の対象が減っていったとき――言い換えれば「体験」が減っていったとき、人生が薄ぼんやりと過ぎ去ってしまうのだから、逆に「注目の対象となる体験を増やしていけばよい」ということ。そうすれば、世界は子ども時代の解像度を取り戻し、体感寿命の時計の針の速度も遅らせることができるはずなのです。

「刺激的でプレミアムな体験」を求めるわけではない

ただし、ここでひとつ誤解してほしくないのは、本書が人生の輝きを取り戻すため「体験（意識に生じる感覚）を増やそう」と言いつつも、決して「刺激的でプレミアムな体験を増やそう」とは言っていないことです。

刺激的でプレミアムな体験——それはたとえば海外旅行で贅沢したり、イケメンや美女と付き合ったり、ビジネスで大成功したりすることなどでしょうか。なるほど、それらはたしかに幸福感に包まれる甘美で新鮮な体験だと言えるかもしれません。

しかしです。「美人は三日で飽きる」とよく言うように、そうしたプレミアムな体験も、繰り返せばすぐに色を失い、またいつもの平凡な日常の感覚に戻ってしまうでしょう。

そうなると、さらなるプレミアムな体験（刺激物）を求めるしかないわけですが、当然そんなものにはキリがありませんし、それが手に入るまでの間、やっぱりまた「どうでもいい日常」をぼんやりと過ごすだけの人生が始まってしまうことになります。結局、そういう構造であるのですから、「人生を充実させるためプレミアムな体験を求める」ということは、まったくもって的外れな解決法だと言えるわけです。

それよりも必要なのは「体験そのもの」の重要性を自覚し、「半分眠ったような薄ぼんやりとした人生（プチ哲学的ゾンビ状態）」から脱して、今この瞬間の体験を意識できるようになること。すなわち、「日常生活をしっかりと味わう生き方を身につける」ということです。

それさえできれば、ただお茶を飲むだけでも、十分に幸福感が得られ、そして子ども時代のゆったりとした時間感覚を取り戻すことができます。逆に言えば、それができないうちは、どんなに刺激的でプレミアムな体験を得ようと元の木阿弥。砂漠に水を撒くようなものだということです。

禅の神髄、「看脚下」

ところで、体験を重視する東洋の哲学者たち——たとえば禅僧や密教僧——は、次のような修行を弟子に勧めることがあります。

「足の裏の感覚に意識を向けたまま、普段の生活をして過ごしなさい」

この修行法は形式としてはそれなりにメジャーで、「足の裏」以外にも、「呼吸」や「お腹」が意識の対象となる場合もあります。

特に「呼吸」や「お腹（丹田）」の場合には、「気が高まるよ」「チャクラが開くよ」といった触れ込みで勧められることも多いのですが、たいていは嘘っぱち。弟子をやる気にさせるための方便であり、この形式の修行法は「日常的に無視されている感覚を意識して取り戻させること」が真の狙いです。

もっとも、実際にやってみるとわかりますが、この修行はなかなか厳しいもので、一日継続することはまず不可能。いや、十分間続けることすら怪しいかもしれません。そして、そんな、簡単に見えて難しいこの修行法は、実は禅の神髄だったりもします。

禅の逸話でこんな話を聞いたことがあります。

ある日のこと。弟子は師匠と、禅について語り合っていた。弟子は問う。

「師匠、禅の神髄とはどのようなものでしょうか？」

「おまえは、玄関にある看板を見たか？　そこに書かれていることが禅の神髄だ」

禅寺の玄関には、伝統的によく掲げられている看板がある。それは「看脚下《かんきゃっか》」と書かれた看板で、文字通りに読めば「足元を見よ」という意味であるが、禅の風習で、その看板を「履き物を揃えて脱ぎましょう」という標語として玄関に置いている禅寺が多くあった。

「看脚下ですね」

弟子は答えた。そして続けて、看脚下に関する知識を意気揚々と語りはじめた。

「これは禅の法話で——『夜道でいきなり蠟燭が消えて暗闇になったときおまえはどうするか？』と問われた三人の弟子がいて、『人生において暗闇とは何か』『暗闇で人はどう生きるべきか』など哲学的に答えた二人の弟子は師匠から殴られ、ただ一言『看脚下（足元を見ます）』と答えた弟子だけが許された――というお話に由来する言葉ですよね。この法話が意味するところは、もちろん、どんな状況に置かれても『足元』すなわち『自己』を見失わず道を歩めということだと思いますが、なるほど、それが禅の神髄――」

言い終わる間もなく、師匠は弟子に飛びかかった。そして憤怒の表情で弟子を殴りつけ、怒鳴る。

「おまえは何を言っている！　わしをからかっているのか！　自己を見失わず道を歩めだと？　禅がそんな浅薄なことを語るためにあの看板を掲げていると思うか？　禅に関わる人間ならおまえも知っているだろう。あれは『履き物を揃えて脱げ』という意味の看板だぞ！」

「は、はい、それは承知しております！　どの禅寺でも、履物を揃えて脱げ、という意味であの看板を置いております！　しかし、でも元の意味は――」

師匠は弟子の言うことに耳を貸さなかった。そして、ただひたすらに殴り続ける。

弟子は混乱していた。どの禅寺にもある、あの看板がそのまま「履き物を揃えて脱げ」の意味だとして、それが禅の神髄だと師匠は言うのだ。これはいったいどういうことか？　もしかして師匠はおかしくなってしまったのだろうか？

そのとき、突然、師匠は振り上げた拳をぴたりと止めて弟子に問いかけた。

「ならば聞くが、あの看板を見たおまえは、ちゃんと履き物を揃えたのか？」

「はい、もちろんです！　いつも必ず揃えています！」

「では、どの方角に揃えた？」

「え？」

「左右どちらの履物から揃えた？」

「……」

弟子は答えられなかった。まったく記憶になかったからだ。

弟子はハッとした。

ああ、そうだ。自分は玄関をあがるとき、これから会う師匠に何を話すかで頭が一杯であり、ぼんやりとしていた。だとすれば自分がやったことは習慣的に漫然と履き物を揃えていただけであり、たとえ目が足元を見ていようと、「意識は足元をまったく見ていなかった」ことになる。つまり、自分はその瞬間その場に生きていなかったのだ。

「さあ、答えろ！　今すぐ答えろ！」

そう言って師匠は再び拳を振り下ろす——と、その瞬間、弟子は突如として悟る。この不条理な緊急事態に、今、自分が何をしなければいけないかを。

「看脚下」

ぼそりと弟子はつぶやいた。それを聞いた師匠は手を止め、大声で笑った。

「そうだ、その通りだ」

そして弟子は許され、師の後継者となった。

「体験的理解（悟り）」を身につけるチェックリスト

東洋哲学において、禅は、体験的理解（悟り）に心血を注ぐ修行者集団です。もしくは「如何に今この瞬間をリアルに生きるかを追求した哲学者たちの集団」と言い換えてもよいでしょう。

その禅の中には、先に述べた禅問答のような師匠と弟子の苛烈なやり取りが伝統としてあるわけですが、さすがに現代人には厳しすぎるものに見えるかもしれません。

とはいえ、禅寺に属さず、師匠の導きなしに修行法だけを取り入れる——すなわち「足の裏や呼吸を意識しながら日常生活を続ける」というのも難しい話です。なぜなら、この修行法は一見簡単そうでも、継続するのが本当に困難で、すぐにやめてしまいがちだからです。

そこで本書は考えました。どうすれば持続可能でしかも楽しみながら、禅（東洋哲学）が目指す「今この瞬間をリアルに味わう生き方」を身につけることができるのか？

実はその回答が、本書が提言する「体験のチェックリスト」です。このチェックリストの使い方は冒頭で説明した通り——イチゴを食べたら、イチゴにチェックを入れる——つまり、体験したことにチェックを入れるというだけのこと。しかし、そのたったそれだけのことが、あなたの人生に劇的な化学変化を引き起こす可能性があるのです。

なぜ、たかがチェックリストでそんなこと――禅が目指すリアルな生き方の修得ができるのか？

それは次章「体験の効能」の中で、チェックリストの使用がどんな効能を生み出すかについて語りながら説明をしていきたいと思います。

第二章

体験の効能

前章では、体験を意識することの重要性を唱えてきました。そもそも体験を意識しないということは、「生きている」という状態から遠ざかっているということ。ゆえに、金より、モテるより、成功するより、まず「体験を意識する生き方」を身につけなくてはならない。なぜなら、「生きていない＝意識がぼんやりとしている」のであれば、その後の人生に何が起ころうとまったくの無意味であるから――と、そんな話をしてきましたが、本章ではその問題を解決する「体験のチェックリスト」、その効能について語っていきたいと思います。

未体験に気づくことができる

体験のチェックリストのひとつ目の効能、それは「世の中には、未体験のものがまだまだたくさんあるのだと気づけること」です。

そもそも、私たちが「ぼんやりと生きている」のはどんなときでしょうか？

それは端的に言えば「知っているもの」が繰り返されているときです。

たとえば、ものすごく感動する映画があったとしましょう。しかし、そんな映画も、毎日毎日、繰り返し見続けていたら、当然、飽きてしまいます。なぜ飽きるかと言えば、それは同じ映画であり「同じ展開が起きることを知っているから」です。私たちは「知っている」と思っているものについては、興味が持てず注意や関心を向ける必要性（意識する必要性）を感じられません。結果、意識は注意力を失い、「ああ、早く終わらないかなあ、そういえばあれどうなったかな」と夢うつつの状態になり、何か新しいことが起きる状況になるまで意識をスリープモード（ぼんやりモード）にしてしまうわけです（それはあなたの貴重な人生の時間を早送りする行為です）。

これはもちろん映画だけではなく、通学や通勤、食事などあらゆる日常の行為についても当てはまります。私たちは「知っている」と思い込んでいる日常生活に対して意識を向けることができない。それらは所詮、同じことの繰り返しであり、未知のことは起こらないだろうと思い込んでいるからです。

一方、「知らないこと」「未体験のこと」であれば、私たちは子どものような快活さで「今起きている目の前のこと」に意識を向けることができます。

仮に、あなたが見知らぬ国に行ったとして、道を曲がるとどんな景色が見えるのか、どんな動物に出くわすのか、まったく想像もできない――というまさに未知の状況に置かれたとしたら、きっとワクワクしながら周囲の様子を注意深く窺うことでしょう。そういった「未知」のもの、同じことの繰り返しではない「知らないもの」についてであれば、私たちは頼まれるまでもなく、意識を外に向け、世界と向き合うことができます。つまり、意識が「ぼんやりモード」になるかどうかは「自分は知っている」という思い込みの有無にあるのです。

このことは逆に言えば、その思い込みを除去さえできれば私たちは「ぼんやりモード」を回避できるということになるはずですが、そうは簡単にはいきません。

二五〇〇年前、古代ギリシアの哲学者ソクラテスが「無知の知」――「自分が何も知らないということを人は知るべきである」と言いましたが、古代の格言が今もなお伝えられていることからわかるように、この「無知の知」を真の意味で理解するのは容易なことではありません。もちろん、「無知の知」が言わんとすることの言葉の意味はわかるでしょう。とりあえずは、「知ったかぶりはやめて、自分の無知を謙虚に認めよう」ぐらいにとらえてもらっても大丈夫です。

また、よほどの自信家でもなければ、「いやいや、自分なんてまだまだ勉強不足ですよ」と言う人の方が多いかと思います。しかし、そんな謙虚な人たちですら、実は内面的にはまったくそうは思っておらず、「自分は世界を知っている」と思い込んでいるのです。

それはなぜかというと、たいていの場合、人は習慣的に自分の知っているものだけを「身の周りに置いている」もしくは「目に入れている」からです。

この話をはっきりさせるために、体験のチェックリストの「フルーツの項目」を見てください（180ページ）。

いわゆるフルーツの一覧ですが、みなさんはこれらをすべて食べたことがあるでしょうか？

たまたまあなたが特別フルーツ好きな人でもないかぎり、食べたことがないフルーツ、いや、それどころか名前すら聞いたこともないフルーツがいくつも混ざっているのではないでしょうか。

たとえば、マンゴスチンは「果物の女王」と呼ばれるフルーツで、チェリモヤは「森のアイスクリーム」と呼ばれるフルーツです。他にもドラゴンフルーツ、アケビなど、なかなか耳にしない、目にしないフルーツがすぐに見つかると思います。

ちなみに、最初にあげたマンゴスチンそしてチェリモヤは「世界三大美果」のひとつです。世界でもっとも美味しいとされる三大フルーツなのに、もし一度も食べたことがないとしたら、あなたはものすごく人生を損しているかもしれません。だって、もしかしたらそれは、寿命の尽きる直前に「最期に食べたいものがあるか?」と問われたとき「マンゴスチン……!」と答えてしまうような、あなた好みのフルーツなのかもしれない。そんな可能性だってあるわけです。

もちろん、こう思われる方もいるでしょう。

「そんなの、遠い南国かどこかの珍しいフルーツでしょ。なかなか入手できないし、身の回りにもないから食べたことがなくて当然だよ」

いやいや、これらのフルーツは大きめのスーパーであれば普通に棚に置いてあるものだったりします。そう、つまり、見たこともないフルーツ、食べ物というのは、実は、ちょっと歩くだけですぐに手に入る場所に置かれていたりするのです（また今どきならネット通販で大半のものが簡単に手に入るでしょう）。

しかし、私たちは、たいていそうした「知らないもの」が目に入りません。

ちょっとこんな物語を想像してみてください。

ある男がフルーツとして「イチゴ、ブドウ、リンゴ」だけを知っており、それを身の回りに置いて、ぐるぐると毎日、日替わりで順番に食べていました。そのうち、男は飽きてきて、こう言い出します。

「フルーツなんてもう食べ飽きたよ。ああ、なんか面白いものって世の中にないもんかな」

どうでしょう。彼が人生を損しているのは自明だと思いますが、ようするに彼は、「自分の知っているもの」だけを身の回りに置き、その「知っているものだけで構成された世界」の中で生きているわけです。だとしたら、それはもう飽き飽きして当然。遅かれ早かれ、彼の意識はぼんやりモード（人生早送りモード）になっていくわけですが、では、そんな彼にソクラテスの「無知の知」を伝えたらどうなるでしょうか？

「ああ、そうか、俺は世界（フルーツ）についてまだ何にも知らないんだ。よし、知ったかぶりをやめよう」

と、そんなふうに思い直したりするでしょうか？

いいえ、おそらくそうは思いません。もちろん彼は理屈として「無知の知」を理解することはできるでしょう。そして実際に「自分は物知りではないよ」と謙虚に語るかもしれません。しかし、それでもなお、彼は「自分の無知」を実感していないし、できないと言えます。なぜなら、彼の世界には彼の「知らないもの」が「存在しない」からです。「知らないもの」が「ない」のに、どうして「自分の無知」を実感できるでしょうか？

そもそも私たちは「自分の知っているもの」で日常生活を構成しがちです。実際、昼のランチに、聞いたこともないメニューをわざわざ注文する人は稀でしょう。もちろん、聞いたこともないメニュー、フルーツ、食べ物はいくらでも身の回りに溢れています。しかし、通常、それらは目に入らず、存在自体に気づくことがない。つまり、私たちにとってそれらは「ない」ものと同じなのです。

このことはつまるところ、私たちは知っているもので構成された「既知の世界」の中で日常を生きていることを示しているわけですが（図D参照）、そんな私たちが「自分の無知を自覚せよ」と言われたところで、本質的にできるわけがないのです。

さて、ここで「だからこそ」という文脈で「体験のチェックリスト」の登場です。フルーツの項目の例でわかるように、チェックリストは一覧になっているがゆえに、そして、それをひとつずつクリアしていく方式であるがゆえに、未知のものが目に入る仕組みになっています。

図D　既知の世界が、そのままあなたの世界になっている

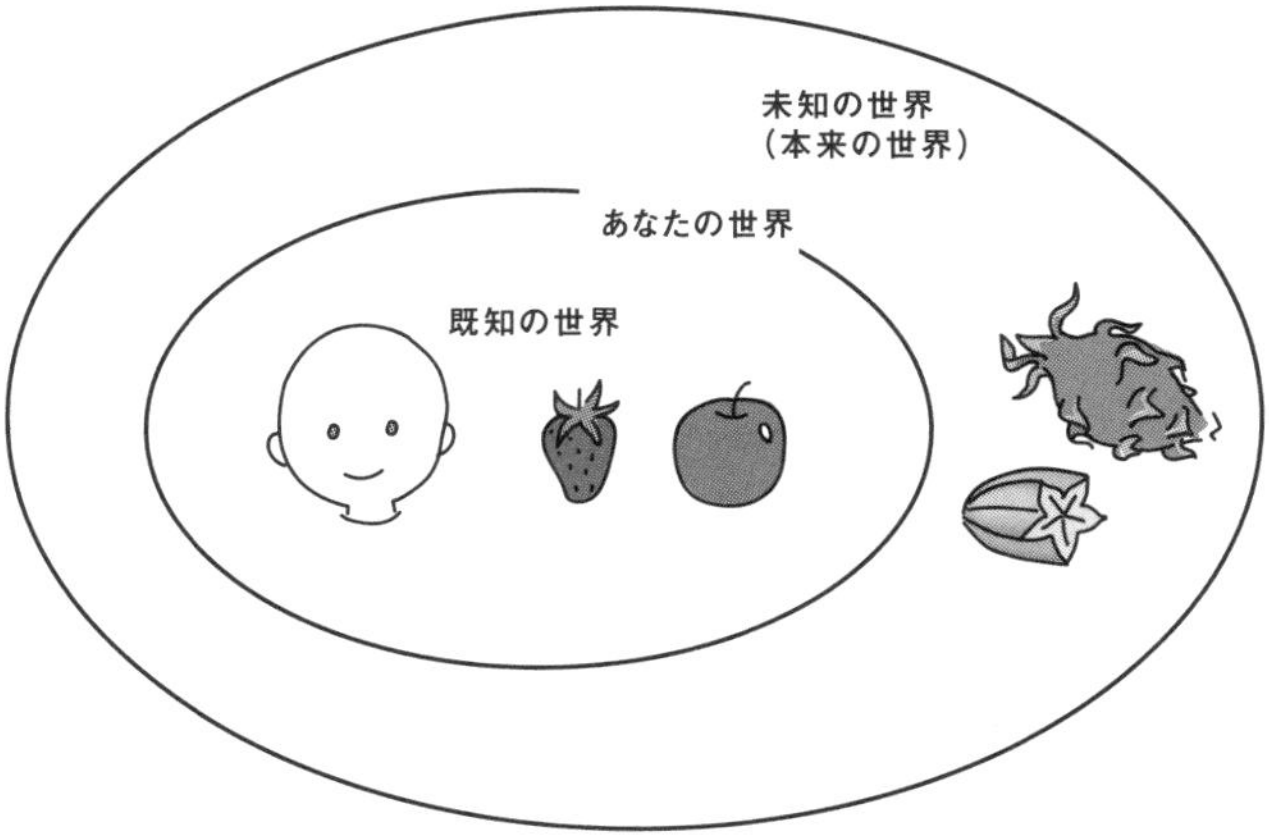

つまり、言い換えるなら、自分の世界になかった「知らない体験」と必ず出会える仕組み――すなわち「無知を自覚させる仕組み」をチェックリストは有しているのだと言えます。

繰り返しますが、私たちは自分の日常（世界）を「自分の知っている体験」だけで構成する傾向を持っています。もちろん、そのこと自体は悪いことではありません。いつものメニューを毎日ローテーションで選び続ける――という繰り返し行為は、失敗のない安全な行為です。しかし、そうした「知っている体験」を反復する行為は、確実に私たちの感受性を鈍化させ、意識の眠りを誘ってしまいます。

ちなみに著者の「真の願い」を言えば、仮に同じものを反復しようと意識をはっきりさせてその体験を味わえるようになってほしく、それが最終目的ではあるのですが、まずは、その前に、子ども時代の未体験に挑戦したときのワクワク感を取り戻し、「体験が楽しい」ということを思い出してほしい。それが第一歩だと思っています。

だから手はじめに、チェックリストの中から未知の体験を見つけてみてください。

未知の知。あなたは未知を知った分だけ世界が広がり、また、意識の快活さを取り戻します（ついでに言うと、その結果、体感の寿命も延びます）。

ですから、どうか体験のチェックリストを眺めて未知を探し、実は「世界には未体験が溢れている」のだと気づいてみてください。それだけできっと、世界がまったく変わって見えるようになると思います。

「好奇心は知の欲求である」

――ホッブズ

思い込みに気づき、「未知の体験」が見つかる

前段で述べたように「体験のチェックリスト」を眺めることで、今まで目に入らなかった「未知の体験」に気づけるようになるわけですが、一方で「知っている体験」もたくさん見つけられると思います。いや、むしろ「知っている体験」がほとんどかもしれません（実際、フルーツの項目も知っているものが大半だったはず）。では仮に、チェックリストのうち、「知らない体験」が二割で、残り八割が「知っている体験」だったとしましょう。その場合、それら「知っている体験」の項目——八割の項目は、不要な情報として無

視してしまってよいでしょうか？

いいえ、それらの体験にも価値があります。ぜひ、次のことを問いかけてみてください。

「いつやった？」
「どんな体験だったか思い出せる？」
「そもそも本当にやった？」

たとえば、おそらく誰もが知っているようなものとして、「パエリア」「モンブラン」「マカロニグラタン」を例としてあげてみましょう。名前としては当然知っていると思いますし、たぶん、どこかできっと食べてはいることでしょう。つまり、それらは「未知の体験」「知らない体験」ではありません。

しかし、「いつ？」「どんな体験だったか？」を問われたときに、「あれ？」という感覚にならないでしょうか？

「あれ？　最後に食べたのいつだっけ？　もしかしたら、五年いや十年くらい食べてないかも」

こんなふうに、よく考えてみたら十年以上口にしていなかった、ということもあり得るわけです（仮に今あげた例があなたにとって日常的に体験しているものであった場合は、ぜひ他の知っている有名な食べ物で考えてみてください。カルボナーラとか、ひつまぶしとか、飲茶とか）。

基本的に、私たちは色んな名前を知識として知っており、通常、それらをすでに体験済みのもの、「知っているもの」として認識しています。しかし、それがどんな体験であったかをまったく思い出せないとしたら、それは本当に体験した「知っているもの」だと言えるのでしょうか？

それに、もしかしたら知ってはいるけど実は未体験というものも案外あるかもしれません。

たとえばマヨツナ軍艦。回転寿司屋に行けば必ず目に入るし、当然、知識として名前は知っていると思いますが、実は食べたことがなかったりはしないでしょうか？（もちろん、人それぞれのことなので、自分が当てはまらない場合は別の寿司ネタで考えてみてください。ハンバーグ寿司とか、かんぴょう巻きとか、マヨコーン軍艦とか）

他には、カンパリオレンジやジントニック、モスコミュール。居酒屋に行けば、ドリンクのメニューとして目に入るし、興味本位で一度くらいは飲んだことがあるかもしれないけど、もはやどんな味だったかすら思い出せない。そんな飲み物もあるかもしれません。そう、だから「名前は知っている」けど、「味わい（体験）を知らない」ということは十分にあり得るのです。

「イギリス経験論の祖」と呼ばれる哲学者ベーコンは、「人間には四種類のイドラ（偏見）がある」と唱えましたが、その中に「市場のイドラ」というものがあります。それは「噂話など言葉の上でしか知らないのに、それを真実だと思い込んでしまうパターンの偏見」のことを指すのですが、たとえば、「猫にまたたび」という言葉はみなさん知っていると思います。猫にまたたびをあげると、猫が酔っ払って「ふにゃーん」となってしまう。そんなイメージが誰の頭の中にもすぐに浮かんでくると思います。

しかしです。「実際に猫にまたたびをあげてどんな反応をするか観察した」という人はどれだけいるでしょうか。きっと思った以上に少ないのではないでしょうか。とすると、この「猫にまたたび」という知識はいったいどこからやってきたのか。

それはおそらくゲームや漫画など――つまり、まさしく「市場（人づての噂話）」からやってきたと考えられます。実際、ゲームの中で「またたび」というアイテムが出てきたら、必ず猫型のモンスターに使うように作られているはずです。

仮に「猫にまたたび」が、こうした市場の情報にもとづくもので「実は未体験なのに知っていると思い込んでしまっている知識」であった場合、それは定義上「市場のイドラ」だということになりますが、こうした類の知識を人は気づかないうちにたくさん持っています。

ちなみに、ベーコンは、「知は力なり」という中二病が好きそうな格言を残しており、これは正確には「経験して確かめた知識こそが力になるよ」という意味です。もちろん、逆に言えば「経験していない知識なんか役立たずだよ」という意味でもあるわけですが、迷信がはびこる中世の終わりという境目の時代を生きた哲学者ベーコンは「経験して確かめていない知識」なんてものは、近代という新しい時代においては一掃すべき迷信――「イドラ（偏見）」だと考えたわけです。

「人間は、実際には経験（体験）していないのに、それを知っていると思い込みがちである」

ようするにそういう話ですが、ではこのベーコンの哲学を踏まえて問いかけるならば、私たち（あなた）が持っている知識は、どこまでが「体験した知識」であり、どこまでが「体験なしに、言葉の上で、市場（噂話や創作物やネット）から得た知識」なのでしょうか？

そう問いかけたとき、よくよく考えてみると判断が難しいと思います。というのは、市場のイドラは、あまりにも当たり前のように世間に流通し「常識」になっているものが多いため、それが経験済みの知識なのかどうか、自分自身では気づきにくいからです。

だってそもそも「またたび」なるものは、本当に実在するのでしょうか？　実際、私たちは道で見かけても「あ、またたびだ！」と言えるわけでもないし、どんな臭いがするか嗅いだこともないし、どんな花を咲かせるか見たこともないのです。

だったら、なぜあなたは「またたび」なるものがこの世に存在すると思っているのか？　だいたい猫が酔っ払うって何？　それはいったい、いかなる事象なのか？　もしかしたら、私たちはずっと「またたび」という幻想に騙されてきたのかもしれない！

と、ここまで考えてみると「それじゃあ、試しに確かめてみようか」という気分になってきます。いや、むしろ確かめてみる「べき」ではないでしょうか。

『刃牙』シリーズに並び、今世紀において、もっとも哲学的な漫画を描いている島本和彦は『無謀キャプテン』の中でこんなシーンを書いています。それは、喫茶店で主人公が紅茶に砂糖を「四つ」入れようとしているときのことでした。その行為を見ていた登場人物の教師とこんなやり取りをします。

教師　「四つも砂糖入れてどーすんだ、いつも四つ入れてんのか？」

主人公「いいえ…ちょっと入れてみたくなって…」

教師「バカだな——お前!!　そりゃ甘すぎるぞ」

主人公「先生やってみたことがあるんですか？」

教師「なくたって考えりゃすぐわかるよ」

主人公「ないんですね」

ここまで言われて教師は突如不安に襲われます。

教師「な…ないけど普通よ…常識で考えりゃ…四つは甘すぎるってわかるだろうが、あ、甘いはずだ!!　絶対に甘いはずだ、いやしかし!!　ないたしかにない!!　おれには二十六にもなるのに砂糖を四つ入れた経験がないのだ!!　なんてこった、こいつは、こいつは今!!　それを確かめようとしている!!　――おれは頭でばかり考えて何もできん人間になりたくない…そんな人間を作りたくないという精神で教師をやっていたのに…いつのまにか頭で考えるだけの頭でっかちな人間になっていたのかっ!?」

この教師の独白は、私たち自身の人生にも当てはまります。やってもいないのに、決めつけている。そういった知識（イドラ）が私たちの中にいったい、どれくらいあるでしょうか？

ここまでの話をまとめるとこうなります。

①人間は体験もしていないのに言葉の上でだけ知っているものが実は結構ある。

②でも、どれが体験にもとづく知識で、どれが体験にもとづかない知識なのか、なかなか見分けがつかない（だって、ネットで簡単に知識が手に入る情報過多な社会で暮らしているのだから。もしかしたら、あなたは「イグアナ」という動物を知っていると思っているが、実は産まれてから一度も、生のイグアナを見たことがないのかもしれない！　そもそも「イグアナ」なるものは、本当に実在するのでしょうか？）。

さて、そこで――という文脈で「体験のチェックリスト」の登場です。チェックリストの項目をパッと見れば、おそらく大半は「知っているもの」が載っているでしょう。しかし、「知っている」という先入観を捨てて、それらを本当に体験したのか思い出してみてください。そこで「あれ？　思い出せない」となったのであれば、その項目はこれを機会にきちんと体験し直してみる価値があります。もしかしたら、それは知っていると思い込んでいただけで、実は未体験のことなのかもしれない。つまり、本チェックリストは、「知っている」と思い込んで見逃していた体験（イドラ）に気づかせてくれる効能を持っているということです。

ぜひ一度、「自分は知っている」という先入観を捨てて体験のチェックリストの「当たり前の項目」をじっくりと眺めてみてください。そして、当たり前のものをきちんと体験し直し、確実だと思える知識を得ることができたら次のように叫んでみてください。

「（体験にもとづく）知は力なり！」

――ベーコン

「行く」体験が、いつもの景色を一変させる

哲学の理論のひとつとして「そこにモノが存在するのは、あなたがそれに関心を向けているからだ」という考え方があります。たとえば、96ページの図Eを見てください。上の図は、なんだかよくわからない「モヤモヤの模様」ですが、下の図は明らかに「公園の絵」だということがすぐにわかると思います。

では、なぜ上の図はよくわからない「モヤモヤの模様」なのに、下の図は「公園」に見えるのかというと、私たちの中に「モヤモヤした模様の中から関心によってモノを切り出す機能」があるからです。

図E

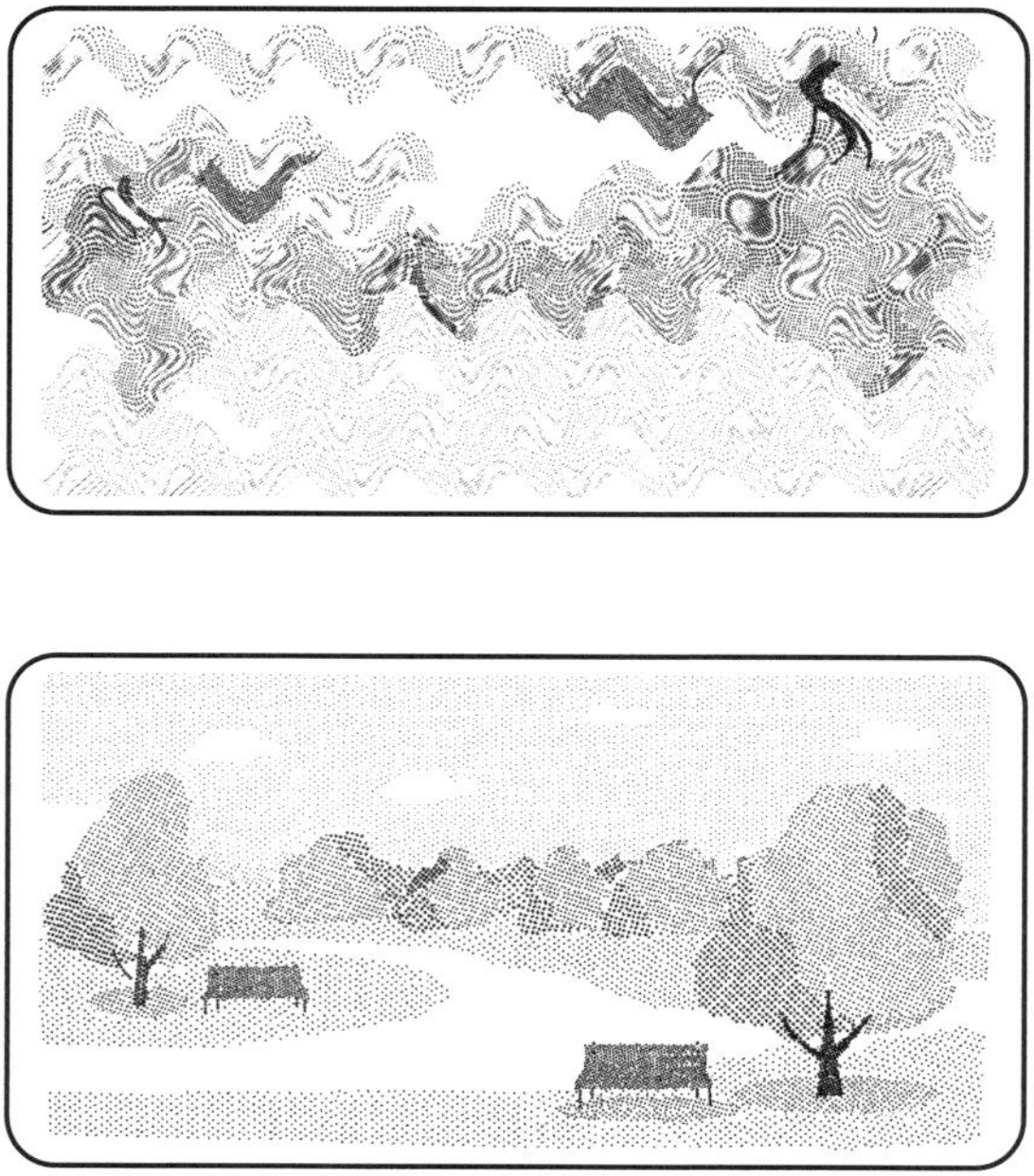

実際、冷静に考えてみると、下の図だって上と同様に「モヤモヤの模様」です。仮に一度も「ベンチ」や「芝生」など、公園というものを見たことがない人間がいたとしたら――いや、もっと大胆に、イソギンチャクみたいな別の星の知的生命体がいたとしたら――、おそらく上下の図とも、同じ「謎のモヤモヤした意味不明の模様」にしか見えないでしょう。

しかし、私たちは「ベンチ」や「芝生」という存在に関心がある（価値を認めている）ため、本来ならなんだかよくわからないはずの模様（景色）の中から「ベンチ」や「芝生」を切り出し、それをモノとして見出しているのです。

このことは、つまるところ「ベンチ」や「芝生」に関心のないイソギンチャクには、それらのモノは存在せず、それらに関心のある私たちにとっては「存在する」と言えるわけで、つまり「関心があるかないか（価値を認めるかどうか）によって、そのモノが存在するかしないかが決まる」ということなのです。

さて、ではここで、あなたがたまたま「釣り」に関心のない人だったとしましょう。そんな人が「釣り具屋」の目の前を通ったとしても、当然、何の関心も示しません。関心がないのだから、その店は、あなたにとって障害物、もしくは地図を見るときの目印くらいにしかならないはずです。

この状況については、もしかしたらオープンワールドのゲームを思い浮かべてもらえばよくわかるかもしれません。ひとつの街を再現し自由に歩き回れるゲームですが、たいていの場合、店の中には入れず、店はただの障害物として通路を構成する壁となっています。こうしたゲームと同様、「関心のないお店」というのは、あなたにとって「ただの壁」にすぎないわけなのです。

そうなると、街というのはあなたにとって楽しくないものになります。たとえば、あなたがファストフードと喫茶店と居酒屋ぐらいにしか日常的に入らない人だとします。そんなあなたが、たまたま何かの都合で今まで降りたことのない見知らぬ駅に降りたとしても——そういった奇跡的な偶然の出会いが起きたとしても——、その駅前にはワクワクするようなものはまったく見当たらないでしょう。なぜなら、あなたが関心のあるお店以外は、ただの壁にすぎないからです。むしろ、自分が知っている店だけを視界に入れて「ああ、どこの駅前でも似たような店しかないなあ」と思うぐらいでしょう。

この「街が楽しくない」という問題の解決策として、体験のチェックリストには「行く」というカテゴリーがあります。

たとえば、「釣具店」という項目。これは「釣具店を体験してください」という項目になるわけですが、これは決してそのお店で釣具を買って釣りを始めろということではありません。とにかく、まず入ってみる。そして、なるべく隅から隅まで「何があるかを見て回る」ということ。たったそれだけのことでかまいません。そうして「ああ、なるほど、釣具店っていうのはこういうものだったのか！」と感じ取れたらミッション終了です。

これは一見、無駄な行動に思えるかもしれません。が、一度も行ったことのない場所に行くと、案外、色々な発見があるものです。たとえば、あなたが釣りというものをまったく知らない人だったとしたら釣り竿がいくらぐらいなのか、想像もつかないでしょう。でも、行けばわかります。もしかしたら、「安いものだとこれくらいか。高いものだと……、へー、こんなにするのか！　いったい、何が違うんだ！」と驚きに出会えるかもしれません。特に、リール（糸を巻き取る器具）については、「こんなにハイテクなものがあるの？」「20万円以上もするの？」「形状が洗練されていてすごくかっこいい！」とびっくりするかもしれません（著者はしました）。

このように、普段入らない無関心な店というのは、「どんな商品が、どんな相場で、どんなふうに並べられているのか」を教えてくれる（未知を体験させてくれる）貴重な場所だと言うことができます。しかし、無関心であるがゆえに、普段それらの店は障害物として認識され、中を覗いてみようという気持ちすらわきません。

だからこそ、まず入って、どんなものかを体験してみる。

ゴルフショップ、キャンプ用品店、おしゃれな雑貨屋などなど――当たり前の存在でありつつ、関心がないため素通りしていたお店というものが、実はたくさん街に溢れていることに気づけるはずです。

「身に着ける」体験で新たな感性がわかる

さて、もうひとつ自分には関係ないと思って見過ごしてしまいがちなものとして「ファッション」があります。

たとえば、サングラス、ネックレス、ブレスレットなどなど——ある程度ファッションに関心がある人ならともかく、関心がない人にとっては触れる機会すらないものだと思いますが、きっとそういう人は街を歩いていてアクセサリーショップがあっても、その存在を意識することなくただ通り過ぎてしまうだけでしょう。つまり、街でサングラスやネックレスなどのファッショングッズが売っていても、注意を払うことをしないわけです。

しかし、ここでちょっと考えてみてください。その人たちがファッションに興味を持たないのはなぜなのか？　「自分には似合わない」もしくは「自分の好みではない」と思っているからでしょうか？　しかし、それらのファッションがその人にとって未体験であり、一度も身に着けたことのないものであったとしたら――もしかしたらそれはただの思い込みなのかもしれません。

その思い込みを明らかにするため、本書は「身に着ける」という体験のカテゴリーを設けました。これはファッションに関する体験リストで、たとえば「サングラス」という項目は、「サングラスを着けて街を歩く」という体験を意味しています。

こうしたチェックリストにより、日常的に身に着けたことのないファッションの存在が把握できるようになるわけですが、その結果、街の見え方が変わってくることになります。それまで入る予定のなかったお店、いやそれどころか、一生入ることのない自分に無関係だったお店――それらがリアルな存在としてあなたの景色にあらわれるのです。

たとえば、帽子屋。あなたがたまたま帽子をかぶらない人であれば、当然、帽子屋なんて通り過ぎるだけの無用な建物にすぎないわけですが、項目に「帽子」があることで、その存在が目に留まるようになります。

「あれ、こんなところに帽子屋ってあったんだ。そう言えば帽子の項目はまだチェックしてなかったな。よし、入ってみるか」

そんな些細なきっかけで十分。おそらく一生入ることがなかったであろうお店にとにかく入ってさえしまえば、（あなたにとって未知なのだから）必ずそれなりの新鮮な体験が起こります。

「ほほう、帽子の専門店ってこんな感じなんだ」

ささて、あなたはチェックリストの「身に着けて街を歩く」というミッションを達成するため、こうして入ったお店から、ひとつ帽子を選んで購入しなければなりません。自分の身に着けるものですから、当然、否応なく関心が向けられます。

「自分にはどんな帽子が似合うのだろうか？」

もしかしたら一度も考えたことがないかもしれない命題。しかしそれでも、真剣に取り組んでみると、やはりそれぞれの帽子に対して、何らかの応答が自分の中から出てきます。たとえば、「これはないな」「うーん、これは悪くないかも」といった感想。そして、そうして眺めているうちに「これすごくセンスがある！」と思うような、心奪われるものに出会うこともあります。もちろん、気に入らないものばかりということもあるでしょう。そのときは、また別の機会、もしくは、別のお店で自分のセンスにぴったりのものに出会えると期待して去りましょう。

一期一会。そこで何が起ころうと、それもひとつの体験です。いずれにせよ、大切なのは「自分が何を美しいと感じる人間なのかを知ること」です。

ちなみに、哲学の世界には「美学」という学問分野があります。

「人間は何を美しいと思うのか？」
「美とは何なのか？」

そうした探究を、プラトンからはじまり、哲学者たちはずっと考え続けてきたわけですが、「人間とは何か」を知るためにはどうしても「美とは何か」を考えることが必要だったからです（ちなみに、有名なカントの三大批判書『純粋理性批判』『実践理性批判』『判断力批判』のうち三番目は、美とは何かを考察した哲学書です）。

そもそも人間とは、理性と感性を持った存在です。ゆえに両方を知らなければ、人間とは何かの問いには答えられません。このうち、理性の仕組みについては、哲学者たち（特にカント）は真理（人間は何を正しいと思うのか）を追究することで明らかにしようとしてきました。その一方、感性の仕組みについては、美（人間は何を美しいと思うのか）を追究することで明らかにしようとしてきました。

①人間は何を「真（正しい）」と思うのか？
↓人間の理性の仕組みを明らかにする。

②人間は何を「美（美しい）」と思うのか？
↓人間の感性の仕組みを明らかにする。

つまりは右記のような感じですが、このことはもちろんあなた自身にも当てはまります。あなたはどんなアクセサリーを「美しい」と思うのか。それを知ることは哲学的に言えば、そのまま「あなた自身を理解すること」につながるわけです。そして、その理解は「体験」することでしか得られません。

ですから、帽子屋に入ってやるべきことは、「あなたに似合う帽子を探す」というよりは、「あなたはどんな帽子を素敵だと思うか」を発見するために試してみるという方が正しいのです。

「自己イメージ」にとらわれなくなる

ところで、ファッションについては、普段慣れ親しんでいないアイテムを身に着けて街を歩くのは恥ずかしい――といった心理的抵抗が大きい人もいるかと思います。実際、仲の良い友達が、普段身に着けていないファッション(たとえば、サングラスとか、ミサンガとか)を着けてあらわれたら似合わないと笑ってしまうでしょう。

ではなぜ、似合わない、と笑ってしまうのでしょうか? それは構造主義の哲学を踏まえて考えてみるとわかりやすいと思います。構造主義とは、主にフランスで発展していった現代思想のひとつで、(誤解を恐れずざっくりと言えば)「人間は自由な意志を持って物事を選んでいるつもりでも、実は何らかの構造（システム）によって行動を選ばされているだけだよ」という考え方です。

たとえば、次の三つの特徴を持つ人を思い浮かべてください。

・スーツを着用し、ネクタイを締めている。
・自分自身のことを「私」と呼ぶ。
・ですます調の丁寧な言葉遣いで話す。

こういった人は街を見渡せばいくらでも見つかると思いますが、では、果たして彼らは自由な意志でそれらの行動を選択していると言ってよいでしょうか？

構造主義的に考えるなら、それは言えません。

というのは、「スーツ＋ネクタイ＝常識的な社会人」という構造がまず社会の中に存在し、彼らはその構造に従って自分の振る舞いを選択しているにすぎないからです。

そもそも、「スーツ」と「ネクタイ」と「社会人」には何の因果関係もありません。だから、もしあなたが本当に自由な意志で振る舞いを決められるならば、「スーツ＋はちまき」でもよかったわけです。

また、「社会人であること」と「一人称が私であること」と「ですます調の言葉遣いであること」にも何の因果関係もありません。これもあなたの自由な意志で、一人称を「おいら」にして、言葉遣いを「だぜ口調」にしてもよかったわけです。

そう考えると、本来、選択肢は無限にあったはずなのに、なぜか

「スーツ＋ネクタイ」というスタイルの「イメージ（固定観念）」が社会においてすでに浸透しており、その「イメージ（固定観念）」に従った言動を人間がいつの間にか選ばされている。よく格闘漫画で「刃物を持った相手は安全である。なぜなら、刃物を使った行動しかできなくなるからだ」というセリフが出てきますが、つまり、人間は、本来裸で生まれてきたにもかかわらず、何かを身に着けるとその身に着けたものが持つ「イメージ（固定観念）」に応じた振る舞いを無意識にしてしまうものだということです。

さて、話をファッションに戻します。スーツやネクタイに特定のイメージがあるように、サングラスやミサンガにも当然、特定のイメージがあります。すなわち、「サングラス（ミサンガ）を身に着けている人ってこんな感じの人だよね」という固定観念があるということです。しかし、このことは逆に言うと、仮にあなたが普段からサングラスを身に着けていない人だとすれば、「あなたはサングラスを身に着けるような感じの人ではない」という固定観念を普段から身に着けており、その固定観念に応じた振る舞いを無意識にしているのだということです。

そして、その振る舞いが「こういう感じの人だよね」という自己イメージを規定させ、自分にも他者にもそう思い込ませているわけですが、それゆえに、あなたがそのイメージにそぐわないファッションを身に着けると、他者は「似合わない（あれ？　私が知っているあなたのイメージと一致しないぞ）」と言って笑ってくる――もしくは、「自分には似合わないな（私が持っている自分自身のイメージと一致しないぞ）」と違和感を覚えるのです。

しかしです。その自己イメージは、本当にあなた自身なのでしょうか？　あなたが生来そういう人間だから、それらのものを身に着けているのでしょうか？

いいえ、もしかしたらその因果関係は逆であり、「そうしたものを身に着けているから、そのイメージ通りの振る舞いをしているだけ」なのかもしれません（そして、他者も「あなたがそうしたものを身に着けているから、そのイメージに応じた扱いをしているだけ」なのかもしれません）。

だとしたら、試してみましょう。自分がサングラスを着けて歩いてみたら、どんな振る舞いになるのか。たったそれだけの行動で、「自分はこういう人間だ」という思い込みが、思い込みにすぎなかったことに気づくことができるかもしれません。

もちろん、いきなり友達の前で、いつもと違う格好をするのはさすがにハードルが高いでしょう。もし、それを気にするようであれば、知り合いのいない街を歩いてみてください。もちろんそれでも普段と違うことをするのだから心なしか心拍数は上がるでしょう。しかし、すれ違う人は、普段のあなたがサングラスを着ける人かどうかなんてわかりません。だから、堂々と、そのファッションに応じた振る舞いをしてみましょう。もしかしたら堂々と歩いているうちに、だんだんと「このファッションありだな」という気分にもなってくるかもしれません（笑）。

そして、何より大切なのは、自己イメージなんてものはファッションによっていくらでも取り替えのきくものであり、そもそも存在しないのだ、という体験的理解を得ることです。それを自覚することは、あなたを「意味（ラベル付け）」の呪縛から解き放ち、人生を自由に幸福にしてくれることでしょう。

まずは気軽に街という未知が溢れる場所で、あなたの中に起きる心の変化を楽しんでみてください。

「ひとは、意味をうみだす行為のために服を着るのだ。衣服の着用は羞恥心、装飾、保護の理由をこえて、本質的に意味作用の行為なのである」

——ロラン・バルト

知識が価値を失い、体験の時代が訪れる

これから述べることは、言い方によっては炎上するような、人様の機嫌を悪くする主張なのですが、現代において「知識の価値は下がっている」と著者は思っています。

知識の価値が下落した——なんて物言いは、世の知識人たちから怒られそうな言明であるとは思いますが、これは決して単純に「あなたが知識を学ぶことには何の価値もない、知識は役に立たないですよ」という意味ではありません。

先の言葉の真意はこうです。

「あなたが学んだ知識をそのままアウトプットしても、他人がそれに価値を感じにくい時代になりました」

この主張の根拠は、端的に言えば「ネット検索」があるからです。たとえば、あなたがある知識A——それは哲学の知識でもよいですし、美味しいたまご焼きの作り方でもよいですが、とにかく何らかの知識——を学んだとします。このときあなたは、記憶した知識Aを文字で書くなりして他人に伝えることができるわけですが、しかし、そんなことをするぐらいなら、その情報が書かれているネットのURLを相手に教えて直接アクセスしてもらった方が早いでしょう。つまり、あなたがうろ覚えの知識をわざわざ出力して他人に伝えるより、ネットの情報源を教えてあげた方が合理的だというわけです。

もちろん、その情報源が相手にとっては難しすぎて、あなたがわかりやすく要約した方がよいときもあるかもしれません。しかし、それだって広いネット世界を探せば、相手にちょうどよいレベルで要約してくれているページが見つかるはずで、だったらやっぱりそちらを参照してもらった方が早いということになります（ちなみに、哲学についてなら『哲学的な何か、あと科学とか』という老舗のサイトがわかりやすく書いているので、そちらがお勧めです）。

このことはつまるところ、知識というものはどこかの誰かが「詳しく」もしくは「わかりやすく」ネットにあげた瞬間に「それと同じ知識を出力する価値（ありがたみ）」は減少するのだということを意味します。実際の話、あなただって、お金を払って受けた講義の内容が「Wikipedia」や「どこかのネット記事」の内容そのままであれば、とても損した気分になるでしょう。

昔は、この事情が違いました。たとえば、会計や税金の知識について素人は簡単に知ることはできませんでした。単純に「法人税、所得税の税率っていくらだっけ？」ということすら、どうやって調べたらいいかわからなかったのです。だからこそ、昔は、専門家に高いお金を払ってでも教えてもらっていたわけですが、しかし、今ではちょっと指を動かしてネットで検索するだけで、これらの知りたい情報を簡単に見つけることができます。

きっとこの傾向は今後どんどん強くなり、最終的にはＡＩが適切な情報を受け手の理解力に合わせて教えてくれる時代がくるでしょう。その意味では、人間が静的な情報を記憶して、それをそのまま出力して他者に伝えることが重宝される時代というのはもはや終わりを迎えつつあると言えます。

以上のことから、近い未来において人間同士での「知識のやり取り」は意味を失うと考えられるわけですが、その分、「体験」の価値は相対的に増加すると考えられます。

そもそも「体験」は知識と違い、ネットやＡＩで代替できるものではありません。実際、あなたが「スノボの知識」をどんなに集めても「スノボに乗って滑る」という独特の体験を得ることはできないでしょう。言うまでもなく「体験」は、あなたが実際に行うことでしか得られないのです。

実はこの特徴ゆえに、体験には唯一性――「あなたならではのオリジナリティ」という価値が与えられます。つまり、あなたの体験は、あなたしか持っていないということ。ゆえに、体験とは「貴重で価値のあるもの」だと言うことができるのです。

もっとも「あなたの体験は貴重で価値がある」と言われてもピン

とこないかもしれません。自分の体験なんてありふれた平凡なものにすぎない、そう思う人がほとんどでしょう。しかし、そうしたありふれた体験でも十分に価値があります。だって実際の話、友達と一緒にいて一番楽しいのは、まさにその「ありふれた体験」について語り合っているときではないでしょうか？

たとえば、あなたの目の前に友達がいたとします。そのとき、その友達が「知識（一般的な恋愛テクニック）」について話してくれるよりも、「体験（彼が実際に告白してどうなったか）」について話してくれた方がよっぽど楽しく、有意義な時間を過ごしたと思えるでしょう。つまり、対人、特に友人関係においては「知識」よりも「体験」について語り合った方が楽しいわけなのです。

ちなみに、先のたとえ話で、相手の体験談に興味がない（価値がない）場合は、あなたはその人のことを友達だと思えていないのだと言っていいかもしれません。このことは、逆に言えば「その人の体験を知りたい」とあなたが思える（もしくは思ってくれる）相手こそが、あなたにとって親しくすべき人間であり、友人であると定義してよいと思います。

さて、繰り返し述べますが、知識の語り合いは、技術の発展とともに価値が下がっていきます。もし、あなたが知識について語り合いたいなら、友達ではなくスマホと向き合った方がよいという時代がもうすぐ来る、もしくはすでに来ているでしょう。

だとするならば、真に求めるべきは「知識のストック」より「体験のストック」。そして「知識の交流」より「体験の交流」――すなわち、お互いの体験に、価値を感じられる人間関係の構築――真の友人を得ること。それこそが次の時代において、充実した人生を送るための方法論になっていくのではないでしょうか。

「友人がいなければ、誰も生きることを選ばないだろう。たとえ、他のあらゆるものが手に入ったとしても」

――アリストテレス

互いの体験が広がり「真のコミュニケーション」が生まれる

以下は、本書を作るときの編集さんとの雑談です。

著者「焼酎って学生時代はよく飲んでたけど、社会人になったら全然飲まなくなりましたよね」

編集「え？　いやいや、そんなことないですよ！　焼酎よく飲みますよ！」

このとき私は、その場の共感を得ようと自分の経験則からくる拙い「あるあるネタ」を口走り、編集さんから「そんなことはないぞ」と強く反論されたわけですが……。ここで注目してほしいのは、この会話のどちらが正しいかではなく「意外と他人は、自分とは違う経験をしており、自分とは違うことに関心があるのだ」ということです。

言うまでもなく、他人は自分と違う人生を歩んでいます。自分が右に進んだとき、他人は左を進んでいたりします。しかし、そういう細かい違い——特に日常のちょっとした違いについては、なかなか明らかになりません。と言うのも、お互いに自分の日常が当たり前だと思っているからです。

この溝を埋めるツールとして「体験のチェックリスト」が役に立ちます。次も実際にあった会話です。

著者「体験のチェックリストやってるんですけど、実はライブって行ったことないんですよね。行こうにも、きっかけもないし、何よりライブハウスの入り口ってめっちゃ入りにくいじゃないですか？」

編集「え？　いやいや、そんなことないですよ！　私よく行きますし、昔バンドやってたので今度連れて行ってあげましょうか？」

この会話は、歌舞伎でも、釣り堀でも、雀荘でも成立します。

つまり、「今、こういうチェックリストやってます」という流れで未経験のことを言ってみる。すると「やったことがある」または「ない」と、相手が回答し体験の有無が明らかになるわけですが、このチェックリストで話題にしなければきっと気づくまでにもっと時間がかかったでしょう（もしくは一生気づかなかったかもしれません）。

さて、ここで運良く相手が経験者であれば、相手にその体験について教えを請うことができます。基本的に「他人がしていない体験を自分は体験済みであり、しかも他人がその体験を欲している」という状況はとても心地良いものです。ちょっと意地悪な言い方をするなら「体験マウント欲」というものが人間にはあるように思います。ですから、先の状況は「体験を語る側は気分が良い」し「聞く側も未知の世界が広がり嬉しい」という「ｗｉｎ－ｗｉｎ」の関係と言えるわけです。

もちろん相手も未経験で「自分もやったことがない」と答える可能性もあります。その場合は「じゃあ、話のタネに今度一緒に行ってみようよ」と誘ってみるといいでしょう。一人で行くのは心細い場所でも顔見知りと一緒であれば、案外スッと行けたりするものです（私もいきなり未体験でダーツバーとかに一人で行けません……が、友達とならノリで行けそうな気がしています）。

というわけで、相手の体験を知ることは会話の潤滑油としても役に立ち、そして同時に互いの体験を広げる効果があるわけですが、実のところ、こうした他者との体験に関する会話こそが健全で適切な人間関係――「真のコミュニケーション」と言えるのではないでしょうか？

近年、ＳＮＳで他人に共感して「いいね」をすることが流行っています。それはある意味、自分の枠の中で良いと思うものに「そうそうその通り」と追認をするだけの行為とも言えますが、当然そうした行為では新しい出会いも発見も成長もありません。実際、リアルの会話でも大の大人が二時間もかけて「いいねいいね」「わかるわかる」とだけを語り合っていたら、まったく建設的な時間だったとは思えないでしょう。

しかし、現実はそうなりがちです。たとえば、友達に久々に連絡をしたとして、行くところと言えば居酒屋など食事をする場所……、話すことと言えば仕事の愚痴や共通の知り合いの噂話……ぐらいではないでしょうか。もちろん、それで構わないのなら問題ありません。しかし、もう少し充実が欲しいという人には本書がお役に立ちます。

なぜなら本書のチェックリストがあれば、未知の体験について話題にしやすいからです。「最近、こういうのやってさ、意外にやってないことがたくさんあるんだよ」「へーどれどれ」みたいな流れが自然にできるからです。

体験を語り合い、未知の体験を一緒に挑戦する。そういった子ども時代のような人間関係――

「あそこの道の奥、行ったことないんだよな」

「じゃあ今度こっそり行ってみようぜ！」

そういったワクワクする友人関係を取り戻してみてはいかがでしょうか。

「友人との自由な会話はいかなる慰めよりも私を喜ばす」

――デイヴィッド・ヒューム

「未体験の記録」により継続性が生まれる

ダイエットでも勉強でも何でもそうですが、一番の難関は、その行為をいかに継続させるかです。

たとえば、「人生を変える○○術」「絶対にビジネスで成功する七つのコツ」などのハウツー本があったとして、読んでいるときはなるほどと感銘を受けていても、読み終わってしまうと案外あっさりと忘れ去ってしまうもの。だからこそ、この手の本は定期的に売れ続けるわけですが、その意味では本書が伝えたい内容も同様で、忘却しやすいものだと言えると思います。

だって実際の話、「日常を意識して生きましょう」なんていう提言は、本を読んだあと三日間ぐらいは新鮮さを感じて自覚的にやろうと思うかもしれませんが、きっとすぐにその新鮮さは失われ、あっさりと忘却。数ヶ月後には「そう言えば、そんなのあったよな」と思い出すのが関の山ではないでしょうか。

このように「本の内容を如何にして継続させるか」というのは、この手の本において至上命題であるわけですが、その課題に対して本書がとった方策は「コンプリート意欲」です。それは端的に言えば「本書はチェックを入れて埋めていく形式であるため、達成感がありり継続しやすいですよ」ということ。

まず、本来なら本書を常に携帯して持ち歩いてほしいところですが、そうでなくても、せめて枕元など一日一回は必ず手が届くところに置いてほしいと思っています。そして、忘れた頃にでも「そう言えば、チェックリストってどのくらい埋まったのだろうか？」とふと取り出してみる。すると、そこには未チェックの記録、つまり「未体験の記録」が残されているわけですが、そこでたとえば「カチョエペペ」という項目が埋まっていなかったとします。きっとあなたはこう思うはずでしょう。

「カチョエペペ？　それって何だろう？　自分は、このカチョエペペを知らないまま一生を終えてしまって本当にいいのだろうか？　よし、せっかくだから、明日はこのカチョエペペを体験しに行ってみよう！」

と、ここまで都合よくモチベーションは上がらないかもしれませんが、それでもやはり何らかのきっかけにはなると思います。なぜなら、自分の人生に「未体験の項目」が残っているというのはモヤモヤするものだからです。まさに心残り。本書はそのモヤモヤ（心残り）を自覚させてくれます。

実際、あなたがほとんどのフルーツを食べていて、チェックリストに食べたことのないフルーツが三種類だけあったとしたら、それはやっぱり「せっかくだからコンプリートしたいな」と思うのではないでしょうか？　そして、だからこそ、何かの機会にレストランのメニューを開いてそれに出会ったら、「せっかくだから」とその未体験を選ぶのではないでしょうか？

ところで、このチェックリストは次のような使い方もできます。たとえば、あなたが本書を使用し、何か体験をするたびに項目をチェックして埋めていったとしましょう。そして、一年の月日が経ったときにチェックリストを見返してみてください。すると、いつまでも埋まらない項目の存在に気がつくはずです。仮にその埋まらない項目が、明らかにメジャーで定番のものであった場合、ちょっと不思議な気持ちになるかもしれません。

たとえば、「あれ！　自分って、バナナとうどんを何気に一年間一度も食べてなかったんだ」と気づくことができるといった具合です。これが三年だったり、五年だったりして見返すと、「あ、オレ五年間もペペロンチーノ食べてなかったんだ」と気づくことができ、「よし、じゃあコンプリートもしたいし、五年ぶりにペペロンチーノ食べてみるか」というきっかけにもなるかもしれません。

ちなみに、本書は「コンプリート意欲」を削ぐような、高いハードルの非日常的な体験は入れていません。たとえば、「スカイダイビング」や「バンジージャンプ」などのハードルの高い体験はチェックリストに含んでいません。

体験のチェックリストは、基本的に「ちょっとその気になればできること」だけで構成されています。

つまり、ちょっとお金を出せば、ちょっと歩けば、ちょっと手を伸ばせばできるけども、実は何気に一度もしていなかったこと――そういう日常的なものだけを対象にしています。ですので、安心してゆっくりと時間をかけて体験のコンプリートを目指してみてください。

「継続は力なり」

――住岡夜晃（諸説あり）

第三章

「体験する」ための作法

前章では、体験のチェックリストを利用した際に、どのような効能（メリット）が人生に起きるかを説明してきましたが、本章では、その効能をもっとも効果的に引き出すやり方——体験のチェックリストの作法とも言うべき、「使い方のコツ」について述べていきたいと思います。

厳かに味わうために歴史を知る
――体験する前に調べる

家に帰って、さあ寝ようかというとき、枕元にある本書を手に取って一日を振り返り「そう言えば今日イチゴを食べたな」とイチゴの項目にチェックを入れる――こういった使い方は「してほしくない」と思っています。

繰り返しますが、本書の意図は、単に「色んな体験をしよう」ではなく、「(何気ない日常であろうと) その体験を意識して深く味わおう」というものです。ですから、日中にぼんやりとしながらイチゴを食べて、あとになってから「あ、そういえば体験したな」と思い出すぐらいの気軽さでチェックを入れるべきではありません。
そうではなく、「さあ、これからイチゴを食べるぞ。もしかしたら、これは人生最後のイチゴかもしれない。これから自分に起ることを一瞬たりとも見逃さず注意深く味わおう」という心構えで「厳かに体験すること」――そういった姿勢が「体験の哲学」には求められています。そうして体験を可能なかぎり意識し、「よし、味わったぞ！　イチゴとはこういうものだったのか！」と悟ったときに初めてチェックを入れるべきなのです。

さて、そうした趣旨で作られた本であるため、本書では「薄ぼんやりとなんとなく体験したこと」は体験とは呼びません。したがって体験をする前に、ある程度の心構えをしておく――すなわち「よし、これから体験するぞ」という意識的な準備が必要であるわけですが、その効果的な方法として「体験する前にネット（たとえばWikipediaなど）でその体験の基礎知識を得ておく」というやり方をお勧めします。

たとえば、イチゴを例にしましょう。

もし、私たちがイチゴを調べることなく、何となくイチゴを食べたらどうでしょう。きっと「ちょっと甘くて酸っぱい味」という予想通りの体験が起きて終了でしょう。もちろん、それは体験として間違ってはいません。しかし、「前にも食べたことあるし、イチゴなんて知ってるよ。味もだいたいこんなもんだよね」と思っているうちは、既知のものであるという先入観から深く味わうことができません。

そこで、Wikipediaなどでイチゴを調べてもらうわけですが、すると、当たり前と思っていたものについて実は「自分はたいして知らなかったこと」が案外明るみになるものです。

「へー、イチゴってバラ科だったんだ。あと、僕らが知ってるいわゆるイチゴって『オランダイチゴ属』の種類で江戸時代にオランダから来たもの……だったんだけど、でもそれは元々はオランダのイチゴじゃなくて、北米に行った探検家が持ち帰ったイチゴと、チリの先住民が育てていたイチゴを交配させて作られたものだったのか」

こんなふうに市場に出回っている身近なイチゴひとつとっても、調べてみるとそれなりに壮大な歴史があります。その背景を踏まえれば、少しは新鮮な気持ちで体験を味わえるのではないでしょうか。

また、「カンパリ」という名の有名なカクテルがありますが、これも調べてみると面白く、実は150年以上前、イタリアのバーテンダーのカンパリが開発した謎の液体であり、今でもその特殊な製法は限られた人にしか知らされていないのだそうです。そして、現在、その製法は彼の息子により今のカンパリ社に引き継がれ、そこで製造された謎の液体が、当たり前のようにバーや居酒屋に置かれているわけなのですが……、そういう背景を知ると、カンパリオレンジなどを飲むときに、歴史を感じて厳かな気分で味わえるかもしれません。

このようにあなたにとって身近でありふれたものでさえ、（むしろありふれたものであるからこそ）長い歴史を乗り越え、たいてい何らかの奇跡的な物語を持ってそこに存在しています。もちろん先入観（事前知識）を持って体験に挑むことは必ずしも好ましいことではないのですが、そうした「歴史」の重みを知った方が、より真剣に、より厳かに体験ができると思っています。

「三千年の歴史から学ぶことを知らぬ者は、闇のなか、未熟なままに、その日その日を生きる」

――ゲーテ

体験しないことも個性――やらないと決めた体験には×をつける

言うまでもないことかもしれませんが、体験のチェックリストに書かれていること――それらすべてをやる必要はありません。というのは、人それぞれの事情や体質があるからです。

たとえば、食べ物のアレルギーなどがある人は、その項目には×をつけてください。

他にも、アルコール。体質的に摂取が難しいという人もいるでしょうし、そもそも未成年なので法的に飲めないという人もいるでしょう。また健康上の配慮からタバコを吸わないという人もいるかもしれません。

そういった事情がある人は、チェックリストに書かれている項目を無理にやる必要はありません。

他には、もっと軽い理由——単なる好みの問題で甘いものが苦手など——でやらないというのもOKです。

その場合には、その項目に×マークをつけて消してください。やらないものは、「やらない」「体験しない」と自覚してやらなければいいのです。

そもそも体験しないというのも、ひとつの体験であり個性です。

たとえば、日本人全員が『となりのトトロ』を観ているのに「自分だけ観ていない」というのはとても誇るべき特殊な体験であり個性です。みんながトトロの話題でうなずいているときに、自分だけまったく想像できずに首をかしげているという状況——これほど魅力的に個性が輝く瞬間などそうそうありません。

他には「恋人がいない」「友達がいない」「働かない」などもそうです。他人はそれらの境遇を「不幸だ」「不遇だ」と言うかもしれませんが、それだってやはり貴重な体験のひとつなのです。

だからこそ、体験の哲学には「多くの体験をした人が偉い」という考え方はありません。体験の量は問題ではなく、体験の質に対して自覚的であること――それがもっとも大事なことなのであり、そのひとつの方便としてチェックリストがあるだけということを忘れないでください。

だから、チェックリストの中に、「これはやらないぞ」と決めたものについては、自信を持って×をつけて、そのチェック項目は完了したとみなして先に進んでください。

「トトロを観ていないということは、これから観ることもできるし、観ないこともできる。つまり私にだけ選ぶ権利が与えられたということです。観ているあなたたちとは立場が違うのです」

――山内健司

体験の色分け――あなたの個性の把握

体験のチェックリストは、鉛筆（もしくはペン）でチェックを入れていくという単純な使い方を想定しており、これによりどの項目を体験したかが一目でわかるという仕組みになっています。

しかし、それでは物足りないという人は、一段凝った使い方として蛍光ペンなどを併用することをお勧めします。

たとえば、「もう二度と体験したくない」と思ったものは「赤」。「日常的にこれからも体験したい」と思ったものは「青」。「何度でも体験したい、よし、もう一度」と思ったものは「緑」。

——といった感じで、項目に色をつけてみてください。そうすると、たとえばチェックリストのフルーツのカテゴリーを見ただけでも、「あなたはどんなフルーツが好きなのか、嫌いなのか」が一目でわかるようになります。これは、すなわち、そのままあなたの個性をあらわしていると言えます。

人間ですから、当然、好みはあります。ぴったり合うものもあれば、微妙に合わないものもあります。しかし、じっくり味わうことなく、漫然と口に放り込んでいるような人生であれば、その好みにすら気づいていないかもしれません。そして実際の話、「好きな寿司って何？　嫌いな寿司は？　あと、好きな中華って何？」と突然言われたとき「あれ？　何だっけ？」となりがちです。

しかし、色分けしておくことで自分の好みを自覚することができます。幸福で快適な人生を送るためにも、自分が好きだと思うもの、良いと思うもの、美しいと思うもの――すなわち「好み」を自覚しておくのはとても重要なことです。

もちろん、先に述べた色分けは、あくまでも一例です。自分でオリジナルの色分け方法を決めて、塗っていってください。

「自分を知ることは、あらゆる知恵の
始まりである」

――アリストテレス

体験とは言語であり思考の由来である——言語化にこだわらない

ここでちょっとメルロ＝ポンティの「身体性の哲学」について語りたいと思います。メルロ＝ポンティは、哲学史の中で特に「身体」について考えたフランスの哲学者ですが、かつて哲学の世界では、身体と精神は区別されて考えられてきました。いや、区別どころか「身体よりも精神の方が上」——すなわち「身体を軽視して精神を重視する」という形で哲学は考えを進めてきたと言ってよいでしょう。

実際、「人間の精神について考える」というと、とても哲学っぽいわけですが、「人間の身体について考える」というとあまり哲学っぽくないわけです。むしろ身体については、科学や医学の領分だと考える人の方が多いのではないでしょうか。しかし、そんな風潮にメルロ゠ポンティは反対します。

そもそも身体とは、「誰かを触る」という「主体的で意識的な側面」と、「誰かに触られる」という「客体的で物質的な側面」を同時に持っています。このふたつの側面があるがゆえに、「身体が誰かを触っているとき、実は相手からは触られている」――つまり「(主体として)触る」と「(客体として)触られる」が必ずセットになって同時に発生するわけですが、実のところそんな特徴を有するものは、世界中のどこを探しても身体以外にはありません。

さて、そんな、世界において特異とも言える不可思議な特徴を持つ身体ですが、もちろん私たちはその身体を通してのみ世界を「体験」することができます。そして、さらに言えば、その身体を通してのみ言葉（思考）を成立させることができます。つまり「身体＝体験＝言葉（思考）」がすべて相互につながっているという話なのですが、このことを直感的に理解するため、ちょっとこんなアニメのシーンを思い浮かべてみてください。

以下は「高次元に存在する闇の精神体である魔王」とそれと戦う「勇者」の会話です。

魔王「ふははは、どうした勇者よ！　そんな攻撃など毛ほどもきかんわ！　人間ごときが、高次元の、闇の精神体であるこの魔王に歯向かおうなど片腹痛い！」

勇者「いや、何が闇の精神体だ、おまえ絶対、身体持ってるだろ！」

とまあ「高次元の、闇の精神体」のくせに、会話の端々に身体に関する言葉が入っていることを勇者にツッコまれているという笑い話ですが、これは多少強調してはいるものの、著者が子ども時代に見た実際のアニメの話だったりします。物語の最後に、負のエネルギーの集合体であるラスボスがあらわれて主人公に倒されたあと「この世に憎しみがあるかぎり我は何度でも復活する！」と捨てゼリフをはきながら消えていく。古きよき子ども向けアニメの定番の最終回ですが、著者は子ども心に思ったものです。

「身体的な体験を持たない存在が、このようなセリフを語ることは果たして可能なのだろうか？」

もちろん「片腹痛い」など身体の一部を使った慣用句を言うはず

がないというのは当たり前として、たとえば「得る」「止まる」といった言葉。これらの言葉は一見基礎的なものに思えて、実は身体に由来しており身体がなければ発生しなかった言葉（概念）なのではないでしょうか。

実際の話、身体がない生物がいたとして（また身体を一度も見たことがないとして）、その生物が「夢をつかむ」とか「落ち着いて一旦立ち止まる」といった言葉が理解できるとは思えません（だって、「つかんで得る」とか「止まる」といった身体的感覚を一度も経験していないのだから）。

このように普段何気なく使っている言葉でも起源を紐解けば身体的な経験――つまり「体験」に由来していると考えることができますが、ということは体験の種類が多い人――もう少し言えば自覚的に体験を味わって細かい違いがわかる人は、言葉（概念）の引き出しが多いということになるはずです。だから、私たちが言葉（概念）を増やそうとするなら、実は読書よりも「体験」を増やすべきなのです。

――すなわち、言語とは（身体的な）体験に由来するものである。

これが本章で著者が主張したいことのひとつですが、一方で、だからこそ体験をしている最中には「言語化」にこだわる必要はない。いいえ、それどころか、むしろ害悪でさえあると考えています。

たいていい私たちは美味しいものや贅沢なものを食べたとき、それを何とか頭の中で言語化して表現しようとします。たとえば「あっさりしていて鶏肉みたいだなあ」など。しかし、言語はすべて過去の記憶に由来するものであるわけですから、今この瞬間に発生している「身体的な体験」とは本質的に異なっています。

実際、「赤という言葉」と「今、あなたが見ている赤そのもの」

はまったく異なる存在です。であるならば、「赤いものを見るという体験をしましょう」というとき、頭の中で「赤いなあ、まるで夕日のような——」と言葉（過去の記憶）を並べる暇があったら、「今この瞬間に意識に生じている赤いという感覚そのものを、より注意深く味わう」べきなのです。

経験があって個人がある――体験している瞬間は、体験そのものを味わう

日本を代表する哲学者の西田幾多郎《にしだきたろう》は、その主著の中で「純粋経験こそが真の実在だ」と述べていますが、ここでいう「純粋経験」とは「まだ判断が加えられていない生の経験」のことです。

たとえば、あなたがリンゴを食べて、そのリンゴの味があなたの意識に生じた瞬間のことを想像してみてください。すなわちリンゴの味が発生した最初の時刻のことですが、当然まだ何も判断が行われていません（だって判断には時間が必要だから）。

したがって、「これはリンゴである」や「私はリンゴを食べてい

る」といった判断も、その瞬間においては行われておらず「主観（私）」も「客観（リンゴ）」もまだ存在していません。そして、その後、時間が経つことで判断が行われ、それらの主客（私とリンゴ）があらわれます。

さあ、ここが西田哲学の一番大事なところです。

常識的にはまず「私と世界（主観と客観）」が存在し、その後「私が世界を知覚することで経験が発生する」という順番で考えるわけですが、西田哲学はその逆。まず先に「経験」が存在し、その後「判断によって私と世界が生み出される」という考え方をするのです。

この思想は、次の西田の考え方にもよくあらわれています。

「個人があって経験があるのではなく、経験があって個人がある」

つまり、「経験」が先立ってまず存在し、個人（や世界）はあとから思考によって生み出されたものにすぎないのだということです。

この、個人と世界が生み出される前――すなわち判断が加えられる前の「主客未分の生の経験」のことを「純粋経験」と西田は呼ぶわけですが、彼はこの純粋経験こそが「真の実在」であり、同時に「真の自己」だと主張しました。

なぜ、純粋経験が「真の実在」で「真の自己」なのか？

西田幾多郎は、禅の体験から自らの哲学体系を作った人ですが、東洋哲学の文脈においては、この西田の主張はむしろ伝統的で神髄の話だったりします。

そもそも私たちは人生において様々な経験をし、それらを材料に「自分はこういう人間だ」という自己イメージを作り上げ、それをそのまま「私（自己）」だと信じ込んで生きています。しかし、仏教や禅を含む東洋の哲学は、そういった「自己」の定義を真っ向から否定します。

東洋哲学からすれば、経験を元に生み出された「自己イメージ」なんてものは、所詮は幻想（想像の産物）にすぎません。では、現実に存在するものは何かと問われれば、それはやはり「自己イメージ」を生み出す元になった「経験そのもの」であり、それこそが「真の自己（あなた）」だと言えるのです。

このことを理解するため、「キャンバスに描かれた絵」を思い浮かべてみてください。

そのキャンバスには、映画のスクリーンのように様々なものが描かれます。そして、描かれた絵から「世界はこうなっている」などの想像を生み出せるわけですが、想像はあくまでも想像。絵から思い浮かべたものは現実に存在するものではありません。

では、「現実に真に存在するものは何ですか」と問われたとしたら、それはやはり「キャンバスに描かれた絵です」と答えざるを得ないでしょう（だって実際それしか存在していないのだから）（図F参照）。

もうお気づきと思いますが、このたとえ話は「キャンバス＝意識、絵＝経験」という対応になっています。したがって、たとえ話と同様、経験（絵）から生み出された「自己イメージ」というものは想像の産物にすぎず、「純粋経験（キャンバスに描かれた絵そのもの）」こそが現実に存在するものであり、それが「あなた」だと言えるのです（東洋哲学では、このことを「汝それなり」という一言であらわします）。

図F　キャンバスのたとえ

さて、西田幾多郎の純粋経験がどんなもので、それが真の自己であると今説明したわけですが、なぜそんな話をしたかと言うと、実は、本書でさんざん言ってきた「体験」とは、この「純粋経験」のことを指しているからです。もう少し言えば、本書『体験の哲学』においてもっとも理想とする体験――目指すべき境地。それが「純粋経験」なのです。

なぜ「純粋経験」を目指さなくてはいけないのか。

それは西田が述べた通り、「純粋経験こそが真の自己」だからです。冒頭で、本書が目指すべきものは「何をどう選ぼうが幸福になれる哲学」だと宣言しましたが、そもそも幸福になるためには「幸福になる自己」が必要です。つまり、「あなたが幸福になる」のだから、当然「あなた」が必要であり、肝心の「あなた」が存在しなければ話になりません。

したがって、まず最優先で「あなた＝真の自己＝純粋経験」を見つけないといけないわけですが……、残念ながらこれはかなり難しい話です。一見すると、純粋経験は何かを経験するたびに起きているわけでありふれたことのように思えますが、実際には不可能に近いくらい私たちは「純粋経験」を見失っています。

なぜなら、私たちにとって「体験→判断」の流れがあまりに習慣的であり早すぎるからです。いや、それどころか「体験を言語化したり」「過去のものと比べたり」「ぼんやりと別のことを考えたり」することで「体験そのものを省略して味わわない」ことの方が多く、それが人生の大半ではないでしょうか。

では、どうすれば「純粋経験」――西田が言う「主客未分の生の経験」を味わう境地に達することができるのか。

そのヒントは芸術鑑賞にあります。これは西田哲学でよく出てくる例ですが、偉大な芸術作品を前に圧倒されてただただその作品に見とれているとき、作品と私の区別はなくなり、まるで芸術作品と一体となったような感覚を味わうときがあります。西田によれば、この主客未分の瞬間こそが「純粋経験」であり、その経験そのものが「真の自己」だということです。

とはいえ、芸術鑑賞という特殊な瞬間にだけ純粋経験が起こるのではいけません。本来、到達すべきは日常——何の特別性もない日常生活において「純粋経験」を味わい続ける必要があります。

さあ、ここでやっと本章のテーマに話が戻ります。

「体験はたしかに言語を生み出す元になってはいるが、それは害悪（本来の自己を見失うこと）になることもある。だから体験している瞬間は、その体験そのものを味わい、言語化をしないでほしい（言語化はあとでじっくりやればよい）」

このようなことを述べたのは、あなたに本書が目指す究極の体験――「純粋経験」に到達してほしいからです。

だから、体験のチェックリストで置き換えるなら、あなたがキュウリを食べるとき、それは芸術を鑑賞するような厳かな気持ちで、言語化することなくキュウリを食べてほしいのです。たった一枚の名画のために丸一日飛行機に乗り、さらに美術館で何時間も並んで、やっと見ることができた……ぐらいの心持ちでキュウリを食べてほしいのです。そうして、食べたとき、鑑賞者も鑑賞物もない。キュウリとあなたの区別もない。ただただ「キュウリの味」だけがそこに存在している。その「キュウリの味（体験そのもの）」、それこそが自覚すべき「真のあなた」なのだと気づいてほしいのです。
汝それなり。

「体験を意識して味わって生きよ」

――飲茶

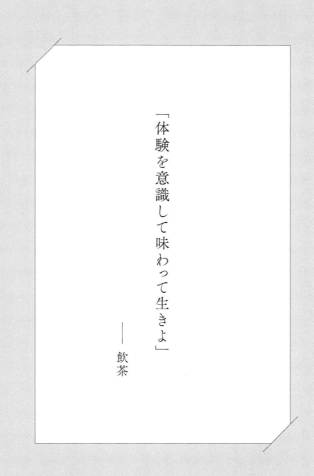

「純粋経験」を目的とする
——比較や言語化は必要ない

さて、長かった説明はこのくらいにして、さっそく体験の哲学を実践していただきたいと思いますが、最後に、アリストテレスが語る幸福の定義を引用して終わりにしたいと思います。

「行為それ自体が目的となるような行為こそが幸福だ」

たとえば、水を飲むときは「水分を補給する」という実利的な目的のために飲むのではなく、「飲んだときの冷たさそのもの」や

「コップを握ったときの感覚そのもの」を目的としてみる。窓を開けたときは、見える景色そのものを目的としてみる。歩くときは、地に触れる足の裏の感覚そのものを目的としてみる。お茶を飲むときは、その一連の動作そのものを目的としてみる。

つまり、今まさに起こっている体験それ自体を目的とするのです。それ自体が目的なのだから、過去の記憶や誰かの体験と比較する必要もなく、それゆえ言語化をする必要もありません。そのように体験そのものを目的として無心で味わうとき、「純粋経験」があなたの元に訪れ、哲学が定義する（自己承認でも、自己実現でもない真の）幸福という状態が訪れることでしょう。

では、チェックリストという方便を利用して、次ページから始まる体験の哲学を実践してみてください。

——看脚下（履き物はきちんと揃えて脱ぎましょう）。

第四章

体験のチェックリスト

基本の使い方

● 体験したら、□（チェックボックス）にチェックを入れる。

※例 **食べる** のフルーツカテゴリーの場合、イチゴを食べたらイチゴの□にチェックを入れ、メロンを食べたらメロンの□にチェックを入れる

● 体験しないと決めたリストは × などをつける。

● 色分けなどをする。

※例「もう二度と体験したくない」と思ったものは「赤」。「日常的にこれからも体験したい」と思ったものは「青」。「何度でも体験したい、よし、もう一度」と思ったものは「緑」。

● カテゴリー（例 フルーツ、野菜など）をすべて体験し（もしくは体験しないと決め）コンプリートしたら、カテゴリーの□にチェックを入れる。

＊チェックリストの選定は著者と編集部による独自のものです。
＊読者のみなさんは、ご自身で足りないものなどあれば、219ページからのＭＥＭＯ欄を活用するなど自由にリストを作成ください。
＊本書執筆時点の情報です。

食べる

□ フルーツ

□ アケビ □ アセロラ □ アボカド □ アンズ □ イチゴ □ イチジク
□ オリーブ □ カキ □ カリン □ キウイフルーツ □ クリ □ グアバ □ キワノ
□ グレープフルーツ □ サクランボ □ ザクロ □ スイカ □ スターフルーツ
□ スモモ □ 日本ナシ □ 西洋ナシ □ ドラゴンフルーツ □ ドリアン □ バナナ
□ パイナップル □ ハスカップ □ パッションフルーツ □ パパイア □ ビワ
□ ブドウ □ ブルーベリー □ ラズベリー □ プルーン □ マンゴスチン
□ マンゴー □ ミカン □ メロン □ モモ □ ネクタリン □ ランブータン □ ライチ
□ リンゴ □ レーズン □ レモン □ ミラクルフルーツ □ ポポー □ ホオズキ
□ アテモヤ □ チェリモヤ □ リュウガン

□ 野菜

□ トマト □ ミニトマト □ ピーマン □ パプリカ □ シシトウガラシ □ カボチャ
□ ズッキーニ □ キュウリ □ 玉レタス □ サラダ菜 □ グリーンカール
□ サニーレタス □ フリルレタス □ ブーケレタス □ サンチュ □ ロメインレタス
□ 茎レタス □ シロウリ □ ゴーヤ □ トウガン □ ヘチマ □ ユウガオ □ オクラ
□ トウモロコシ □ ヤングコーン □ モヤシ □ カイワレダイコン □ ギンナン
□ マクワウリ □ アイスプラント □ エンダイブ □ カラシナ □ クレソン
□ キャベツ □ 芽キャベツ □ 冬キャベツ □ 春キャベツ □ 紫キャベツ
□ グリーンボール □ ケール □ コマツナ □ パクチー □ サイシン
□ モロヘイヤ □ シュンギク □ セリ □ セロリ □ タアサイ □ タカナ
□ チンゲンサイ □ ツルムラサキ □ ノザワナ □ ハクサイ □ パセリ
□ フダンソウ □ ホウレンソウ □ ミズナ □ ミブナ □ ミツバ □ ルッコラ
□ アサツキ □ エシャロット □ タマネギ □ チャイブ □ ニラ □ ニンニク
□ ギョウジャニンニク □ 茎ニンニク □ ネギ □ ラッキョウ □ 中長ナス
□ 長ナス □ 大長ナス □ 丸ナス □ 卵形ナス □ 小丸ナス □ 米ナス
□ リーキ □ ワケギ □ アスパラガス □ ホワイトアスパラガス □ ウド
□ コールラビ □ ザーサイ □ タケノコ □ クウシンサイ □ ルバーブ
□ アーティチョーク □ アブラナ □ ブロッコリー □ 茎ブロッコリー
□ カリフラワー □ 食用菊 □ フキノトウ □ ミョウガ □ トウミョウ □ アシタバ
□ ジュンサイ □ チコリー

□ ミカン

□ 温州みかん □ イヨカン □ デコポン □ 不知火 □ 早生みかん
□ 権兵衛みかん □ 紅まどんな □ 紅まどか □ はれひめ □ ポンカン □ はるみ
□ スイートスプリング □ はるか □ あすみ □ セミノール □ 西の香 □ 甘平

□ 完熟キンカン □ 土佐文旦 □ 水晶文旦 □ せとか □ せとみ
□ 天草 □ デコタンゴール □ ブラッドオレンジ □ アンコール
□ 清見タンゴール □ サンフルーツ □ なつみ □ 津之望 □ はっさく
□ 黄金柑 □ 三宝柑 □ 甘夏 □ ニューサマーオレンジ □ ジューシーオレンジ
□ カラマンダリン □ ハウスみかん □ グリーンハウスみかん □ 津之輝
□ 小原紅早生 □ みはや □ ネーブル □ 弓削瓢柑 □ 媛小春
□ クレメンティン □ 日向夏 □ 晩白柚 □ タロッコ □ モロ □ 湘南ゴールド
□ タンカン □ レモネード □ ジャクソンフルーツ □ スルガエレガント
□ スウィーティ □ バレンシアオレンジ □ タンジェロ □ メロゴールド □ ミネオラ
□ イエローポメロ □ シークヮーサー □ スダチ □ ブッシュカン □ カボス
□ シトロン □ キンカン □ ジャバラ □ ユズ □ ザボン

□ リンゴ

□ 未希ライフ □ つがる □ 早生ふじ □ シナノスイート □ 紅玉 □ 世界一
□ ジョナゴールド □ 陸奥 □ 北斗 □ ふじ □ 白ふじ □ はつ恋ぐりん
□ サンふじ □ ムーンふじ □ あかぎ □ あかね □ 安祈世 □ あいかの香り
□ 秋映 □ 秋田紅あかり □ 姫りんご □ きおう □ トキ □ シナノゴールド
□ シナノピッコロ □ シナノホッペ □ シナノリップ □ シナノレッド □ 秋陽
□ 春明21 □ スターキングデリシャス □ スリムレッド □ すわっこ □ 千秋
□ 北紅 □ 恋空 □ かんき □ おいらせ □ おぜの紅 □ 昂林 □ こみつ
□ さしゃ □ さんさ □ シナノドルチェ □ ピンクレディー □ ファーストレディ
□ 紅いわて □ 紅将軍 □ 紅はつみ □ 紅ロマン □ ほおずり □ 由香里
□ ゆめあかり □ 陽光 □ 大紅栄 □ 高嶺 □ 千雪 □ 夏明 □ ひめかみ
□ 星の金貨 □ 王林 □ ぐんま名月 □ 金星 □ サン金星 □ いろどり
□ 紅の夢 □ なかののきらめき □ ムーンルージュ □ 印度 □ ジャズ
□ ロイヤルガラ □ アンビシャス □ 栄黄雅 □ きたろう □ グラニースミス
□ 黄輝 □ こうこう □ ブラムリー □ はるか □ スイートメロディ □ もりのかがやき

□ イチゴ

□ あきひめ □ アイベリー □ あまおう □ かおり野 □ きらぴ香 □ 恋みのり
□ あまりん □ さがほのか □ さちのか □ スカイベリー □ とちおとめ □ 女峰
□ 紅ほっぺ □ やよいひめ □ ゆうべに □ よつぼし □ ももいちご □ 雪うさぎ
□ 真紅の美鈴

□ メロン

□ アールスフェボリット □ アールス栄華 □ アムスメロン □ アンデスメロン
□ イバラキング □ オトメメロン □ キスミーメロン □ クラリスメロン
□ タカミメロン □ 鶴姫 □ デリシーメロン □ 肥後グリーン □ ベールグラン
□ ペルルメロン □ ユウカメロン □ 夕張メロン □ ルピアレッド
□ オレンジハート □ マリアージュ □ 鶴姫レッド □ サンセットメロン

□ レノンメロン □ タカミレッド □ クインシーメロン □ マルセイユメロン
□ スイートルビー □ ハネデュー □ ホームランメロン □ パパイヤメロン
□ キンショーメロン □ エリザベスメロン □ イエローキング □ プリンスメロン
□ マクワウリ

□ 根菜

□ カブ □ ダイコン □ ハツカダイコン（ラディッシュ） □ クワイ □ ゴボウ
□ ヤーコン □ チョロギ □ ショウガ □ パースニップ □ セロリアック
□ ニンジン □ レンコン □ ビート □ ユリ根

□ キノコ

□ エノキタケ □ ブラウンエノキ □ ブナシメジ □ ホンシメジ
□ ホワイトブナシメジ □ エリンギ □ シイタケ □ マイタケ □ ヒラタケ
□ フクロタケ □ ナメコ □ キクラゲ □ ホワイトマッシュルーム
□ オフホワイトマッシュルーム □ クリームマッシュルーム
□ ブラウンマッシュルーム □ ポルチーニ □ ジロール □ モリーユ □ マツタケ
□ トリュフ □ アワビタケ □ ナラタケ □ ヤマブシタケ □ ムキタケ

□ イモ

□ サツマイモ □ サトイモ □ 新ジャガイモ □ 男爵イモ □ メークイン
□ ホッカイコガネ □ キタアカリ □ ベニアカリ □ マチルダ □ とうや
□ ナガイモ □ 自然薯

□ 豆

□ アズキ □ ササゲ □ インゲンマメ □ エンドウ □ シカクマメ □ ソラマメ
□ ダイズ □ ナタマメ □ ヒヨコマメ □ ラッカセイ □ レンズマメ □ ハナマメ

□ こんにゃく

□ 板こんにゃく □ しらたき □ 糸こんにゃく □ 玉こんにゃく □ 刺身こんにゃく
□ 手綱こんにゃく □ 氷こんにゃく □ 赤こんにゃく □ こんにゃくラーメン
□ 粒こんにゃく □ つきこんにゃく

□ 調味料（さしすせそ）

□ 白砂糖 □ 角砂糖 □ 氷砂糖 □ 中ザラ糖 □ 黒砂糖 □ グラニュー糖
□ 和三盆糖 □ 食塩 □ 岩塩 □ 粗塩 □ 焼き塩 □ 藻塩 □ 抹茶塩
□ 穀物酢 □ すし酢 □ 米酢 □ 黒酢 □ ポン酢 □ ワインビネガー
□ バルサミコ酢 □ リンゴ酢 □ 米味噌 □ 麦味噌 □ 豆味噌 □ 仙台味噌
□ 八丁味噌 □ 白味噌 □ ひしお味噌 □ 濃口醤油 □ 淡口醤油
□ たまり醤油 □ 再仕込醤油 □ 白醤油 □ 甘口醤油

□ ソース

□ ウスターソース □ 濃厚ソース □ 中濃ソース □ オイスターソース
□ タルタルソース □ デミグラスソース □ ケチャップ □ マヨネーズ

☐ 調味料・薬味

☐ みりん ☐ 青のり ☐ のり ☐ 韓国のり ☐ 黒胡椒 ☐ 白胡椒
☐ グリーンペッパー ☐ ピンクペッパー ☐ ユズ胡椒 ☐ ヒバーチ
☐ 七味唐辛子 ☐ 一味唐辛子 ☐ 鷹の爪 ☐ ラー油 ☐ 唐辛子味噌
☐ コーレーグス ☐ ヤンニョム ☐ コチュジャン ☐ 豆板醤 ☐ XO醤 ☐ タバスコ
☐ チリパウダー ☐ ハリッサ ☐ サルサ ☐ ハラペーニョ ☐ ハバネロ
☐ 本わさび ☐ 生わさび ☐ ホースラディッシュ ☐ おろし生姜 ☐ きざみ生姜
☐ 紅しょうが ☐ おろしニンニク ☐ きざみニンニク ☐ ガーリックスライス
☐ からし ☐ 和からし ☐ マスタード ☐ もみじおろし ☐ 山椒 ☐ 花椒 ☐ 黒ごま
☐ 金ごま ☐ ごまだれ ☐ かつおぶし ☐ サフラン ☐ シソ ☐ シナモン ☐ タイム
☐ バニラビーンズ ☐ パクチー ☐ ミント ☐ オールスパイス ☐ アニス
☐ スターアニス ☐ エシャロット ☐ エルブドプロバンス ☐ カルダモン
☐ キャラウェイ ☐ クミン ☐ クローブ ☐ コリアンダー ☐ セボリー ☐ セージ
☐ セロリ ☐ ディル ☐ フェンネル ☐ ポピーシード ☐ ナツメグ ☐ メース
☐ バジル ☐ ターメリック ☐ パプリカ ☐ オレガノ ☐ タラゴン ☐ マジョラム
☐ レモングラス ☐ ローズマリー ☐ ガラムマサラ ☐ 五香粉 ☐ ブーケガルニ
☐ チャービル ☐ チャイブ ☐ 梅肉

☐ ドレッシング

☐ フレンチ白 ☐ フレンチ赤 ☐ フレンチセパレート ☐ サウザンドアイランド
☐ シーザーサラダ ☐ 和風 ☐ 中華 ☐ イタリアン ☐ レモン ☐ タマネギ
☐ ごま ☐ 青ジソ ☐ ランチ ☐ ロシアン ☐ チョレギ ☐ ノンオイル

☐ 海藻

☐ ワカメ ☐ コンブ ☐ メカブ ☐ ヒジキ ☐ テングサ ☐ アマノリ ☐ イワノリ
☐ カワノリ ☐ エゴノリ ☐ アオサ ☐ アカモク ☐ アラメ ☐ オゴノリ
☐ ガゴメコンブ ☐ カジメ ☐ ガニアシ ☐ クロメ ☐ ダルス ☐ ツルアラメ
☐ とろろコンブ ☐ ハバノリ ☐ ヒトエグサ ☐ ヒロメ ☐ モズク ☐ フノリ
☐ マコンブ ☐ ミヨックク ☐ 海ぶどう

☐ チーズ

☐ クリーム ☐ カッテージ ☐ リコッタ ☐ マスカルポーネ ☐ モッツアレラ
☐ ストリング ☐ カースマルツゥ ☐ フェタ ☐ イェトスト ☐ ウルダ ☐ クワルク
☐ ルーシャン ☐ パニール ☐ チェダー ☐ ゴーダ ☐ プロヴォローネ ☐ カンタル
☐ コルビージャック ☐ マンチェゴ ☐ ペコリーノロマーノ
☐ パルミジャーノレッジャーノ ☐ カチョカヴァッロ ☐ エダム ☐ エメンタール
☐ グリュイエール ☐ ラクレット ☐ ミモレット ☐ コンテ ☐ 白カビ
☐ カマンベール ☐ ブリードモー ☐ ヌーシャテル ☐ ブルー ☐ スティルトン
☐ ゴルゴンゾーラ ☐ ロックフォール ☐ ダナブルー ☐ エポワス ☐ リヴァロ
☐ ショーム ☐ ポンレヴェック ☐ モンドール ☐ ラングル

□ サントモールドトゥーレーヌ □ ヴァランセ □ セルシュールシェール

□ おでんの具

□ ダイコン □ たまご □ もち巾着 □ 牛すじ □ こんにゃく □ はんぺん
□ しらたき □ ちくわ □ がんもどき □ さつま揚げ □ 厚揚げ □ ちくわぶ
□ ジャガイモ □ タコ □ コンブ巻き □ つみれ □ ゴボウ巻き □ イカ
□ ロールキャベツ □ つくね □ ウインナー巻き

□ 肉

□ ウシ □ ブタ □ トリ □ ヒツジ □ コヒツジ □ ヤギ □ ウマ □ シカ □ クジラ
□ アヒル □ ウズラ □ シチメンチョウ □ スズメ □ アイガモ □ キジ
□ イノシシ □ ウサギ □ クマ □ スッポン

□ おにぎり

□ サケ □ ツナマヨ □ 梅干し □ 明太子 □ 辛子明太子 □ コンブ
□ 高菜漬け □ おかか □ タラコ □ スジコ □ イクラ □ ネギトロ □ エビマヨ
□ 塩むすび □ 焼きおにぎり □ 肉巻きおにぎり □ バクダンおにぎり □ 天むす
□ 玄米

□ 寿司

□ マグロ □ 中トロ □ 大トロ □ サーモン □ トロサーモン □ カツオ
□ ハマチ □ エンガワ □ アジ □ サバ □ シメサバ □ タイ □ ウナギ
□ アナゴ □ フグ □ スズキ □ ヒラメ □ カレイ □ サヨリ □ サワラ
□ ノドグロ □ イワシ □ コハダ □ カンパチ □ サンマ □ シャコ □ ブリ □ カニ
□ エビ □ 甘エビ □ ツブ貝 □ ミル貝 □ ホタテ □ アワビ □ 赤貝
□ ホッキ貝 □ イカ □ タコ □ たまご □ カズノコ □ ビントロ □ ネギトロ
□ イクラ □ ウニ □ トビッコ □ シラス □ カニ味噌 □ あん肝 □ しらこ
□ コーン □ ツナサラダ □ マヨツナ □ マヨコーン □ 納豆巻き □ 鉄火巻き
□ かっぱ巻き □ かんぴょう巻き □ 芽ネギ □ ナス □ アボカド
□ カリフォルニアロール □ ハンバーグ □ エビ天 □ カルビ □ いなり寿司
□ ちらし寿司 □ 手巻き寿司 □ 恵方巻き

□ 刺身

□ マグロ □ サーモン □ ハマチ □ ブリ □ カンパチ □ サバ □ カツオ
□ カワハギ □ ウマヅラハギ □ キビナゴ □ メジナ □ スズキ □ イサキ
□ イナダ □ サンマ □ タイ □ ヒラメ □ アジ □ フグ □ ケイジ □ イカ □ タコ
□ 甘エビ □ アイナメ □ イシダイ □ イボダイ □ イトヨリダイ □ ウグイ
□ サクラマス □ アカ貝 □ ホタテ

□ 海産物

□ タラバガニ □ ズワイガニ □ 毛ガニ □ 花咲ガニ □ ワタリガニ
□ アサヒガニ □ タカアシガニ □ イチョウガニ □ 上海ガニ □ クルマエビ
□ ボタンエビ □ セミエビ □ バナメイエビ □ ブラックタイガー □ 伊勢エビ

□ ウチワエビ □ ゾウリエビ □ シバエビ □ 桜エビ □ ロブスター □ スルメイカ
□ アカイカ □ ホタルイカ □ ヤリイカ □ ケンサキイカ □ コウイカ
□ アオリイカ □ マダコ □ ミズダコ □ イイダコ □ ホヤ □ シャコ □ クラゲ

□ 貝

□ カキ □ アサリ □ アワビ □ ハマグリ □ サザエ □ ホタテ □ タニシ
□ ムール貝 □ ホッキ貝 □ ツブ貝 □ シジミ □ シャコ貝 □ アカ貝 □ バカ貝
□ バイ貝 □ ミル貝 □ トリ貝 □ タイラギ □ マテ貝 □ ツメタ貝 □ アゲマキ貝
□ イタヤ貝

□ 焼き魚

□ サバ □ サケ □ ハラス □ ブリ □ ブリカマ □ タラ □ ギンダラ □ フグ
□ アナゴ □ マグロ □ サンマ □ ホッケ □ カツオ □ アジ □ タチウオ
□ カサゴ □ カマス □ サワラ □ イサキ □ タイ □ キンメダイ □ アコウダイ
□ イボダイ □ アラスカメヌケ □ カレイ □ イワシ □ カジキ □ カンパチ
□ アユ □ ノドグロ □ ウナギ □ ハモ □ キンキ □ イワナ □ アマゴ □ ヤマメ
□ スズキ □ メヒカリ □ ワカサギ □ ウグイ □ カスベ □ サクラマス □ ナマズ
□ ニジマス □ ニシン □ メザシ □ アジの開き □ ちゃんちゃん焼き
□ 西京焼き □ 干物 □ 丸干し

□ ラーメン

□ 醤油ラーメン □ 塩ラーメン □ 味噌ラーメン □ 豚骨ラーメン
□ 背脂ラーメン □ 魚介ラーメン □ 鶏白湯ラーメン □ バター醤油ラーメン
□ 味噌バターラーメン □ つけ麺 □ 油そば □ 札幌ラーメン □ 旭川ラーメン
□ 函館ラーメン □ 津軽ラーメン □ 喜多方ラーメン □ 白河ラーメン
□ 勝浦タンタンメン □ 家系ラーメン □ 二郎系ラーメン □ 天下一品
□ 一蘭 □ 刀削麺 □ 酸辣湯麺 □ 和歌山ラーメン □ 尾道ラーメン
□ 京都ラーメン □ 天理ラーメン □ 広島ラーメン □ 岡山ラーメン
□ 徳島ラーメン □ 富山ブラックラーメン □ 博多ラーメン □ 熊本ラーメン
□ 長崎ちゃんぽん □ 宮崎ラーメン □ 鹿児島ラーメン □ 久留米ラーメン
□ 沖縄そば □ ソーキそば □ チャーシュー麺 □ ワンタン麺 □ 広東麺
□ ジャージャー麺 □ 五目そば □ 天津麺 □ パーコー麺 □ ちゃんぽん麺
□ 坦々麺 □ 汁なし担々麺 □ 焼きそば □ ざるラーメン □ 冷やし中華
□ 冷麺 □ 冷やしラーメン □ 台湾まぜそば □ ローメン
□ 味噌カレー牛乳ラーメン □ サンマーメン □ 牛骨ラーメン
□ なべ焼きラーメン □ インスタントラーメン □ カップラーメン

□ そば

□ もりそば □ ざるそば □ かけそば □ ぶっかけそば □ きつねそば
□ たぬきそば □ 天ぷらそば □ 月見そば □ とろろそば □ おろしそば
□ 鴨南蛮そば □ カレー南蛮そば □ 山菜そば □ なめこそば

□ コロッケそば □ 田舎そば □ 藪そば □ 砂場そば □ 更科そば □ 十割そば
□ 二八そば □ にしんそば □ 津軽そば □ わんこそば □ へぎそば □ 戸隠そば
□ とうじそば □ 信州そば □ 深大寺そば □ 出雲そば □ 茶そば □ 瓦そば
□ そばがき □ そば湯 □ 立ち食いそば

□ うどん

□ かけうどん □ ざるうどん □ ぶっかけうどん □ 釜揚げうどん □ 釜玉うどん
□ つけうどん □ 煮込みうどん □ 焼きうどん □ きつねうどん □ きざみうどん
□ 月見うどん □ 山かけうどん □ たまごとじうどん □ 天ぷらうどん
□ たぬきうどん □ カレーうどん □ カレー南蛮うどん □ 鴨南蛮うどん
□ 力うどん □ 肉うどん □ 鍋焼きうどん □ 味噌煮込みうどん □ ほうとう
□ きしめん □ 讃岐うどん □ 稲庭うどん □ 五島うどん □ 水沢うどん
□ 氷見うどん □ 耳うどん □ ひもかわうどん □ かすうどん □ 武蔵野うどん
□ 伊勢うどん □ 蒲郡うどん □ 梅うどん □ そうめん □ 流しそうめん
□ にゅうめん □ おっきりこみ

□ ロングパスタ

□ カペッリーニ □ フェデリーニ □ スパゲッティーニ □ スパゲッティ
□ ヴェルミチェッリ □ リングイネ □ ブカティーニ □ キタッラ
□ フェットチーネ □ パッパルデッレ □ ピッツォッケリ □ パッサテッリ
□ タリオリーニ □ トレネッテ

□ ショートパスタ

□ マカロニ □ セーダニ □ ペンネ □ リガトーニ □ ファルファーレ
□ コンキリエ □ フジッリ □ ルオーテ □ オレッキエッテ

□ その他パスタ

□ ラビオリ □ トルテッリーニ □ カンネッローニ □ ラザニア □ ニョッキ
□ クスクス □ リゾーニ

□ パスタソース

□ アラビアータ □ ボロネーゼ □ ミートソース □ モッツァトマト
□ カレッティエッラ □ トマトクリーム □ トマトスープ □ ペスカトーレ
□ アマトリチャーナ □ ペペロンチーノ □ カルボナーラ □ アルフレード
□ クリームスープ □ ボンゴレビアンコ □ ボンゴレロッソ □ ジェノベーゼ
□ めんつゆ □ 和風きのこ □ タラコ □ ナポリタン □ イカスミ
□ 絶望パスタ □ 真夜中のスパゲッティ □ カチョエペペ □ ボッタルガ
□ プッタネスカ □ アンチョビ

□ ピッツア

□ ミックス □ シーフード □ マルゲリータ □ マリナーラ □ オルトラーナ
□ パルマ □ カラブレーゼ □ ディアボラ □ サルモーネ □ クアトロフォルマッジ
□ バンビーノ □ ビスマルク □ ボスカイオーラ □ カプリチョーザ

□ クアトロスタジオニ □ サルディナーラ □ スカッチャ□ ナポリターナ
□ ビアンカ □ パンツェロッティ

□ サラダ

□ グリーンサラダ □ シーザーサラダ □ コブサラダ □ ビーンズサラダ
□ カプレーゼ □ チョップドサラダ □ 海藻サラダ □ コールスロー
□ ミモザサラダ □ ポテトサラダ □ マカロニサラダ □ ツナサラダ
□ ハムサラダ □ チキンサラダ □ パスタサラダ □ ソムタム □ ヤムウンセン
□ ウォルドーフサラダ □ マセドワーヌ

□ 中華まん

□ 肉まん □ 角煮まん □ チャーシューまん □ ピザまん □ つぶあんまん
□ こしあんまん □ ごまあんまん □ カレーまん □ 餃子まん □ フカヒレまん
□ 海鮮肉まん

□ ケーキ

□ ショートケーキ □ モンブラン □ チョコレートケーキ □ ガトーショコラ
□ ザッハトルテ □ ブラウニー □ フォンダンオショコラ □ ジャーマンケーキ
□ オペラ □ ラミントン □トルタカプレーゼ □ キルシュトルテ □ タルト(洋)
□ タルト(和) □ ガトーバスク □ ガレットデロワ □ ミルクレープ
□ パウンドケーキ □ マーブルケーキ □ フルーツケーキ □ カップケーキ
□ ベニエ □ ブラバンターシュニッテン □ パリブレスト □ マドレーヌ
□ フィナンシェ □ バントケーキ □ ホットケーキ □ マフィン □ ウェルシュケーキ
□ バウムクーヘン □ シャコティス □ ベイクドチーズケーキ
□ レアチーズケーキ □ スフレチーズケーキ □ ニューヨークチーズケーキ
□ バスクチーズケーキ □ シフォンケーキ □ ロールケーキ □ ブッシュドノエル
□ ティラミス □ ミルフィーユ □ シュークリーム □ エクレア □ シューケット
□ クロカンブッシュ □ パンプキンパイ □ アップルパイ □ チェリーパイ
□ カステラ □ パヴロヴァ □ パイナップルケーキ

□ スイーツ

□ ナタデココ □ 杏仁豆腐 □ ヨーグルト □ タピオカココナッツミルク
□ ごま団子 □ 月餅 □ ゼリー □ 生フルーツゼリー □ コーヒーゼリー
□ チョコレートパフェ □ ストロベリーパフェ □ バナナパフェ □ メロンパフェ
□ フルーツパフェ □ フルーツポンチ □ スフレ □ プレッツェル □ ワッフル
□ クレープ □ チュロス □ドーナツ □ スイートポテト □ フルーツあんみつ
□ チョコレートフォンデュ □ ウアラネージュ □ タフィー □ パルミエ
□ パルフェグラッセ □ マロングラッセ □ ババ □ ザバイオーネ □ アラザン

□ かき氷

□ イチゴ □ メロン □ ブルーハワイ □ レモン □ コーラ □ 青リンゴ □ みぞれ
□ 抹茶 □ マンゴー □ オレンジ □ グレープ □ ピーチ □ 宇治金時 □ 練乳

□ イチゴミルク □ 黒蜜きな粉

□ アイス

□ バニラ □ チョコ □ チョコミント □ チョコチップ □ コーヒー □ キャラメル
□ 抹茶 □ ストロベリー □ グレープ □ メロン □ オレンジ □ リンゴ □ ピーチ
□ ユズ □ マンゴー □ パイナップル □ ココナッツ □ レモン
□ マカデミアナッツ □ ライチ □ ラムレーズン □ クッキーアンドクリーム
□ あずき □ カシス □ チーズ □ 紅茶 □ ソルト □ ラムネ □ 黒ごま
□ モナカアイス □ ソフトクリーム(バニラ) □ ソフトクリーム(チョコ)
□ ソフトクリーム(ミックス) □ ジェラート □ ソルベ □ シャーベット
□ アイスクリーム(種類別) □ アイスミルク(種類別) □ ラクトアイス(種類別)
□ 氷菓(種類別)

□ プディング

□ カスタードプリン □ クリームブリュレ □ レチェフラン □ クレマカタラーナ
□ ボネ □ キンジン □ ヨークシャープディング □ クリスマスプディング
□ サマープディング □ ライスプディング □ ババロア □ ムース
□ パンナコッタ □ ブラマンジェ □ マンゴープリン □ 牛乳プリン □ カヌレ
□ ハルヴァ □ ベビンカ

□ 和菓子

□ たい焼き(あん) □ たい焼き(チョコ) □ たい焼き(クリーム) □ 饅頭
□ 青丹よし □ 赤坂もち □ 秋田諸越 □ 赤福 □ あこや □ 安倍川餅
□ 甘栗 □ あわ餅 □ 甘納豆 □ 飴玉 □ あられ □ おかき □ 有平糖
□ 淡雪羹 □ あんころ餅 □ あんドーナツ □ あん巻き □ あんみつ □ いが餅
□ 石衣 □ イチゴ大福 □ 亥の子餅 □ 今川焼 □ ういろう □ うぐいす餅
□ 薄皮饅頭 □ うば玉 □ 雲平 □ 翁飴 □ 小城羊羹 □ おこし
□ おのろけ豆 □ おはぎ □ 柿の種 □ かしわ餅 □ 鹿の子
□ 亀の甲せんべい □ かりんとう □ かるかん饅頭 □ カルメラ □ 瓦せんべい
□ 寒氷 □ きなこ餅 □ きび団子 □ 黄味しぐれ □ ぎゅうひ □ 切山椒
□ きんぎょく □ 金太郎飴 □ きんつば □ きんとん □ 草餅 □ 葛餅 □ 葛桜
□ 葛切り □ 葛焼き □ 葛湯 □ 栗きんとん □ 栗饅頭 □ 栗大福
□ クリーム大福 □ 越乃雪 □ 五家宝 □ 黒糖饅頭 □ 金平糖 □ 琥珀羹
□ 金玉糖 □ 小男鹿 □ 酒饅頭 □ さくら餅 □ 笹団子 □ 三色団子 □ 塩釜
□ 塩大福 □ 柴舟 □ 杓子せんべい □ 生姜糖 □ 白玉 □ すあま □ すはま
□ ずんだ餅 □ ぜんざい □ せんべい □ 千歳飴 □ ちまき □ 茶通し □ 中花
□ 月の雫 □ 調布 □ ちんすこう □ 月見団子 □ 辻占 □ 椿餅 □ つやぶくさ
□ とう饅頭 □ ところてん □ とち餅 □ どら焼き □ 鳥の子 □ 南部せんべい
□ 揚げせんべい □ 人形焼き □ 練り切り □ 萩の月 □ 花びら餅
□ 羽二重餅 □ 菱餅 □ ひなあられ □ ぼうろ □ ぼた餅 □ ぼんたんづけ

□ 松風 □ 豆大福 □ 水ようかん □ みぞれ羹 □ みたらし団子 □ 水無月
□ むらさめ □ もなか □ 桃山 □ 八つ橋 □ 柚餅子 □ ようかん □ よもぎ饅頭
□ よもぎ餅 □ 落雁 □ 六方焼き □ わらび餅 □ 磯辺焼き □ 寒天
□ うなぎパイ □ サーターアンダーギー

□ **チョコレート**

□ 板チョコレート □ シェルチョコレート □ パンワークチョコレート
□ エンローバーチョコレート □ ホローチョコレート □ チョコ棒 □ チョコバー
□ ビターチョコレート □ スイートチョコレート □ セミスイートチョコレート
□ ミルクチョコレート □ ハイミルクチョコレート □ ホワイトチョコレート
□ ブロンドチョコレート □ ルビーチョコレート □ 生チョコレート □ トリュフ
□ クーベルチュールチョコレート □ ジャンドゥーヤチョコレート
□ ボンボンショコラ □ ウイスキーボンボン □ マンディアン □ ロシェ
□ プラリネ □ ガナッシュ □ オランジェット □ ドラジェ □ チョコスプレー
□ 鳥のミルク

□ **お菓子**

□ ポップコーン □ ポテトチップス □ ポン菓子 □ ふがし □ クラッカー
□ ビスケット □ 文字ビスケット □ 動物ビスケット □ クッキー □ サブレー
□ ウエハース □ ブリットル □ マカロン □ ダックワーズ □ ビスコッティ
□ キャラメル □ ゼリービーンズ □ グミ □ マシュマロ □ チューインガム
□ ミントガム □ キシリトールガム □ キャンディ □ ヌガー □ ドロップ
□ ペロペロキャンディ □ ロリポップ □ チューイングキャンディ □ のど飴
□ 知育菓子 □ コーンフレーク □ チョコフレーク

□ **焼き肉店**

□ カルビ □ 中落ちカルビ □ ハラミ □ 肩ロース □ リブロース □ リブ芯
□ ヒレ □ ブリスケ □ タン □ サーロイン □ ザブトン □ トモサンカク
□ カタバラ □ カイノミ □ ササミ □ トンビ □ シャトーブリアン □ イチボ □ ミノ
□ レバー □ サガリ □ ミスジ □ マルチョウ □ ネクタイ □ ウルテ □ コリコリ
□ シビレ □ カシラ □ マメ □ ハチノス □ ヤン □ ギアラ □ コブクロ
□ テッポウ □ ハツ □ センマイ □ モモ □ テッチャン □ ホホ □ ランプ
□ テール □ スネ □ ピートロ □ ラム

□ **串焼き・焼き鳥店**

□ モモ(タレ) □ モモ(塩) □ ネギマ(タレ) □ ネギマ(塩) □ 皮(タレ) □ 皮(塩)
□ ムネ □ ササミ □ 手羽 □ つくね □ ハラミ □ セセリ □ ボンジリ
□ ソリレス □ 砂肝 □ エンガワ □ レバー □ 白レバー □ ハツ □ 丸ハツ
□ しらこ □ サエズリ □ 背肝 □ 油ツボ □ なんこつ □ フリソデ □ キンカン
□ チョウチン □ フンドシ □ ペタ □ 目肝 □ 銀皮 □ カシラ □ 豚バラ
□ 牛串 □ ウズラ卵 □ シイタケ □ ししとう □ アスパラ □ ピーマン

□ 豚肉

□トンカツ □ ヒレカツ □ しょうが焼き □ 角煮 □ 肉ジャガ □ チャーシュー
□ ポークソテー □ 豚キムチ □ ロースハム □ ボンレスハム □ ショルダーハム
□ ベリーハム □ 生ハム □ 生ハムメロン □ ベーコン □ ショルダーベーコン
□ ロースベーコン □ ウインナーソーセージ □ ボロニアソーセージ
□ フランクフルトソーセージ □ リオナソーセージ □ドライソーセージ
□ セミドライソーセージ □ カルパス □ レバーソーセージ □ レバーペースト
□ チリフランク □ 紅茶豚

□ 鍋

□ すき焼き □ もつ鍋 □ しゃぶしゃぶ □ 豚肉しゃぶしゃぶ □ ちゃんこ鍋
□ 水炊き □ 鴨鍋 □ 軍鶏鍋 □ つくね鍋 □ 湯豆腐 □ キムチチゲ
□ スンドゥブ □ タッカンマリ □ 豆乳鍋 □ 寄せ鍋 □ ちり鍋 □ てっちり
□トマト鍋 □ ミルフィーユ鍋 □ 飛鳥鍋 □ 石狩鍋 □ 赤から鍋 □ ほうとう鍋
□ きりたんぽ鍋 □ はりはり鍋 □ しょっつる鍋 □ 土手鍋 □ アンコウ鍋
□ 芋煮 □ ぼたん鍋 □ カニすき □ 桜鍋 □ 柳川鍋 □ せり鍋 □ クエ鍋
□ ジンギスカン □ 火鍋 □ カレー鍋 □ カキ鍋 □ レモン鍋 □ どぜう鍋

□ 芋(料理、加工品)

□ ポテトチップス □ ハッシュドポテト □ フライドポテト □ ベイクドポテト
□ スイートポテト □ 大学芋 □ 芋けんぴ □ 干し芋 □ 石焼き芋 □ 芋ようかん
□ 芋もち □ 揚げ芋 □ 芋なます □ にっころがし

□ 味噌汁の具

□ 豆腐 □ ワカメ □ ナメコ □ ネギ □ シジミ □ アサリ □ ダイコン
□ ニンジン □ 油揚げ □ キャベツ □ タマネギ □ ハクサイ □ ナス
□ ジャガイモ □ カボチャ □ こんにゃく □ モヤシ □ ホウレンソウ □ ミツバ
□ サツマイモ □ たまご □ ミョウガ □ アオサ

□ 汁物

□ 味噌汁 □ 豚汁 □ けんちん汁 □ 雑煮 □ あら汁 □ 三平汁
□ せんべい汁 □ 中身汁 □ 吸い物 □ かきたま汁 □ アーサ汁 □ いちご煮
□ 粕汁 □ 肝吸い □ ぜんざい □ しるこ □ すいとん □ 冷や汁 □ つみれ汁
□ キノコ汁 □ のっぺい汁 □ 山羊汁 □ ひっつみ汁

□ スープ

□ コーンスープ □ コーンポタージュ □ コンソメスープ □ ポトフ □ ビスク
□ クリームシチュー □ ビーフシチュー □ たまごスープ □ フカヒレスープ
□ ミネストローネ □ ヴィシソワーズ □ クラムチャウダー □ オニオンスープ
□ オニオングラタンスープ □ カボチャスープ □ グーラッシュ □ ブイヤベース
□ アクアパッツァ □ ガスパチョ □ カルビタン □ ソパデアホ □ ボルシチ

□ フェジョアーダ □ サムゲタン □ ソルロンタン □ カムジャタン □ 酸辣湯
□ 佛跳牆 □ 春雨スープ □ ツバメの巣のスープ □ ワンタンスープ
□ トムヤムクン □ ユッケジャン □ 肉骨茶

□ **パン**

□ 食パン □ カレーパン □ メロンパン □ クリームパン □ あんパン
□ ジャムパン □ コッペパン □ うぐいすパン □ バターロール □ チョココロネ
□ デニッシュ □ ベーグル □ 揚げパン □ 甘食 □ 豆パン □ コロッケパン
□ くるみパン □ シナモンロール □ ハニートースト □ フレンチトースト
□ ピザトースト □ 乾パン □ 堅パン □ ナン □ バタール □ 焼きそばパン
□ 黒パン □ クロワッサン □ バゲット □ 明太フランス □ パンドカンパーニュ
□ パンオショコラ □ ブリオッシュ □ クグロフ □ フォカッチャ □ チャバタ
□ グリッシーニ □ パニーニ □ プレッツェル □ ライ麦パン
□ カイザーゼンメル □ スコーン □ イギリスパン □ イングリッシュマフィン
□ ピロシキ □ パンドロデブ □ カルツォーネ □ シュトーレン □ コーンブレッド
□ ピタパン □ エピ □ ショソンオポム □ ポンデケージョ □ アインバック
□ アレパ □ インジェラ □ クレセントロール □ エンサイマダ
□ カレリアンピーラッカ □ ギフラ □ クッペ □ クノーテン □ クネッケブロート
□ クネドリーキ □ コロンバ □ サリーラン □ ザルツシュタンゲン
□ サンフランシスコサワーブレッド □ シミット □ シャンピニオン
□ シュトロイゼルクーヘン □ ショコレーゼボロ □ スパンダワー
□ スフォリアテッラ □ スモーケーア □ ゾンネンブルーメン □ タバチュール
□ チャパティ □ ティビアキス □ テッシーナブロート □ トルティーヤ
□ トレコンブロート □ パネトーネ □ ハパンレイパ □ パンオルヴァン □ パンドミ
□ パンドーロ □ ピデ □ フランスクブロード □ ブリオッシュアテット
□ プンパニッケル □ フーガス □ ベルリーナープファンクーヘン
□ ホットクロスバン □ マーラーカオ □ モーンシュネッケン □ ルイスリンプ
□ ロッゲンザフトブロート

□ **ジャム**

□ イチゴジャム □ リンゴジャム □ 梅ジャム □ ミカンジャム □ レモンジャム
□ ブドウジャム □ アンズジャム □ イチジクジャム □ ブルーベリージャム
□ ラズベリージャム □ ユズジャム □ マーマレード

□ **バター**

□ 発酵バター □ 無発酵バター □ 有塩バター □ 無塩バター
□ グラスフェッドバター □ ホイップバター □ マーガリン □ ピーナッツバター

□ **シロップ**

□ チョコレートシロップ □ モルトシロップ □ ガムシロップ
□ グレナディンシロップ □ ハチミツ □ メープルシロップ

□ クリーム

□ カスタードクリーム □ 生クリーム □ バタークリーム □ ホイップクリーム
□ アーモンドクリーム □ サワークリーム

□ サンドイッチ

□ ハムサンド □ たまごサンド □ ツナサンド □ BLTサンド □ フルーツサンド
□ ジャムサンド □ カツサンド □ チキンカツサンド □ テリヤキチキンサンド
□ コンビーフサンド □ ポテトサラダサンド □ イチゴサンド
□ ミルフィーユハムカツサンド □ ドネルケバブ □ パニーニ □ タコス

□ ファストフード

□ ホットドッグ □ チリドッグ □ ハンバーガー □ チーズバーガー
□ ダブルチーズバーガー □ フィッシュバーガー □ ベーコンチーズバーガー
□ チキンバーガー □ テリヤキバーガー □ テリヤキチキンバーガー
□ ベーコンエッグバーガー □ ライスバーガー □ 骨付きチキン □ チキンナゲット

□ 丼

□ 天丼 □ 牛丼 □ チーズ牛丼 □ カツ丼 □ 豚丼 □ ローストビーフ丼
□ 親子丼 □ たまご丼 □ 他人丼 □ うな丼 □ すた丼 □ 鉄火丼 □ 海鮮丼
□ ネギトロ丼 □ マグロユッケ丼 □ シラス丼 □ ウニ丼 □ イクラ丼 □ 巴丼
□ バクダン丼 □ そぼろ丼 □ ひつまぶし □ 中華丼 □ 麻婆丼 □ 木の葉丼
□ 若竹丼 □ ハイカラ丼 □ 衣笠丼 □ 深川丼 □ 鎌倉丼 □ 江ノ島丼
□ 柳川丼 □ カレー丼

□ カレー

□ ビーフカレー □ ポークカレー □ チキンカレー □ スープカレー
□ シーフードカレー □ ロースカツカレー □ チキンカツカレー
□ ハンバーグカレー □ 豚しゃぶカレー □ 納豆カレー □ 野菜カレー
□ ナスカレー □ チーズカレー □ 牛タンカレー □ 甘口カレー □ 中辛カレー
□ 辛口カレー □ 焼きカレー □ ドライカレー □ カレードリア □ キーマカレー
□ マサラカレー □ マッサマンカレー □ カシミールカレー □ コルマカレー
□ ムルグマカニ □ パニールマッカニー □ パラクパニール □ サグパニール
□ サグチキン □ アルパラク □ グリーンカレー □ レッドカレー
□ イエローカレー □ プーパッポン □ ビーフルンダン □ チャナマサラ
□ マトンドピアザ □ ダールカレー □ チェッターヒン □ フィッシュヘッドカレー
□ カラヒ □ プラウンカレー □ マサレマ

□ 中華料理

□ 麻婆豆腐 □ チャーハン □ 飲茶 □ 天津飯 □ 酢豚
□ パイナップル入り酢豚 □ 黒酢酢豚 □ エビチリ □ 春巻き □ 餃子
□ 鶏肉のカシューナッツ炒め □ 水餃子 □ エビ蒸し餃子 □ シューマイ

□ チンジャオロース □ ショウロンポウ □ 北京ダック □ ホイコーロー
□ 八宝菜 □ ユーリンチー □ トンポーロー □ エビマヨ □ バンバンジー
□ 中華おこげ □ 上海ガニ □ 鴨血 □ よだれ鶏 □ ピータン □ ザーサイ
□ フカヒレ姿煮 □ 麻婆茄子 □ 麻婆春雨 □ 鶏足 □ ニラレバ炒め
□ 豚肉とキクラゲのたまご炒め □ ビーフン □ ナマコの煮込み
□ アワビの煮込み □ 中華ちまき □ 夫妻肺片

□ **韓国料理**

□ キムチ □ カクテキ □ ナムル □ トッポギ □ プルコギ □ サムギョプサル
□ チヂミ □ アワビ粥 □ チョッパル □ チャプチェ □ タッカルビ □ サンナクチ
□ カンジャンケジャン □ ポッサム □ デジクッパ □ ビビンバ □ キムパプ
□ ユッケ □ コムタン □ アグチム □ ホンオフェ

□ **米料理**

□ 白ご飯 □ 茶漬け □ 鮭茶漬け □ 梅干し茶漬け □ たらこ茶漬け
□ わさび茶漬け □ 湯漬け □ 茶めし □ 釜めし □ お粥 □ 七草粥 □ 栗ご飯
□ タケノコご飯 □ 豆ご飯 □ 炊き込みご飯 □ 混ぜご飯 □ 雑炊 □ 鯛めし
□ カニめし □ ちまき □ 卵かけご飯 □ とろろかけご飯 □ カオマンガイ
□ ハヤシライス □ チキンライス □ オムライス □ リゾット □ パエリア □ ピラフ
□ ドリア □ シシリアンライス □ ライスバーガー □ 赤飯 □ 麦めし
□ ゆかりご飯 □ ふりかけご飯 □ なめたけご飯 □ ラー油ご飯
□ バター醤油ご飯 □ ソーライス □ ナシゴレン □ アランチーニ
□ トルコライス □ かやくご飯 □ かてめし □ 大根めし □ ジャンバラヤ
□ ロコモコ □ はらこめし

□ **粉もの**

□ タコ焼き □ おやき □ ちょぼ焼き □ ラジオ焼き □ 明石焼き
□ 関西風お好み焼き □ 広島風お好み焼き □ 遠州焼き □ しぐれ焼き
□ 府中焼き □ 庄原焼き □ もんじゃ焼き □ せち焼き □ どろ焼き
□ 三原焼き □ かしみん焼き □ カキオコ □ 竹原焼き □ にくてん焼き
□ モダン焼き □ どんどん焼き □ ヒラヤーチー

□ **漬物**

□ たくあん □ 梅干し □ ぬか漬け □ 粕漬け □ みそ漬け □ しょうゆ漬け
□ からし漬け □ わさび漬け □ 福神漬け □ 浅漬け □ しば漬け □ 高菜漬け
□ 青菜漬け □ ハクサイ漬け □ 奈良漬け □ 広島菜漬け □ 松前漬け
□ キュウリの漬物 □ ラッキョウ漬け □ 壺漬け □ なた漬け □ すぐき漬け
□ たまり漬け □ すんき漬け □ にしん漬け □ 千枚漬け □ ひのな漬け
□ べったら漬け □ まだか漬け □ 緋のかぶら漬け □ いぶり漬け
□ 野沢菜漬け □ 津軽漬け □ ユズダイコン □ ニンニク漬け □ カブ漬け
□ 金婚漬け □ てっぽう漬け □ ひょうたん漬け □ 守口漬け □ 水ナス漬け

□ やたら漬け □ はりはり漬け □ 三五八漬け □ 山海漬け □ ピクルス
□ メンマ □ アチャール □ ザワークラウト

□ **ナッツ**

□ ピーナッツ □ アーモンド □ カシューナッツ □ ピーカンナッツ
□ マカダミアナッツ □ ピスタチオ □ ヘーゼルナッツ □ ココナッツ □ 松の実
□ ヒマワリの種 □ カボチャの種 □ スイカの種 □ クルミ □ ブラジルナッツ
□ ピリナッツ □ サチャインチナッツ □ ジャイアントコーン □ 塩豆 □ いかり豆
□ 煎り黒豆 □ グリーンピース □ 麻辣青豆 □ クコの実 □ 竹炭豆
□ 黒糖そら豆 □ カカオニブ

□ **たまご料理**

□ たまご焼き □ 目玉焼き(醤油) □ 目玉焼き(塩) □ 目玉焼き(ソース)
□ スクランブルエッグ □ ベーコンエッグ □ ハムエッグ □ エッグベネディクト
□ エッグタルト □ エッグスラット □ エッグインザバスケット □ カニ玉
□ 茶碗蒸し □ たまご豆腐 □ ゆでたまご □ オムレツ □ 伊達巻き
□ だし巻きたまご □ 温泉たまご □ 半熟たまご □ 揚げたまご
□ ポーチドエッグ □ 巣ごもりたまご □ ポークたまご □ 湯取りたまご
□ 粕漬けたまご □ スコッチエッグ □ バロット □ ナシパタヤ
□ テロールピンダン □ カイクローブ □ カイヤッサイ □ ケランチム
□ ケランパン □ ケランマリ □ ピカタ □ シルパンチョ □ 農夫の朝食
□ シエンタン □ オアチェン □ トルティージャ □ ウフアンムーレット
□ クラックテロール □ クク □ シャクシューカ □ ティエダン □ トーンエーク
□ ナシゴレンパタヤ □ フリッタータ □ チャーイエダン

□ **フランス料理**

□ ガレット □ エスカルゴ □ フォアグラ □ コンフィ □ ジュレ □ パテ □ ポワレ
□ 牛のタルタル □ ブッフブルギニョン □ ジビエ □ キッシュ □ アリゴ
□ ラクレット □ カスレ □ テリーヌ □ クロックムッシュ □ グラタン
□ マカロニグラタン □ ムニエル □ 舌平目のムニエル □ パイ包み焼き(魚)
□ パイ包み焼き(肉) □ 牛フィレ肉のステーキ □ トゥルヌドロッシーニ
□ ローストビーフ □ グリエ □ ガランティーヌ □ マリネ □ ラタトゥイユ
□ ケークサレ □ キャロットラペ □ コッコーヴァン

□ **台湾料理**

□ 阿給 □ 芋圓 □ 牛肉麺 □ 三杯鶏 □ タンツー麺 □ 葱油餅 □ 豆花
□ 肉圓 □ バンリガニ □ 魯肉飯 □ ドゥジャン □ フージャオビン □ 臭豆腐
□ 大腸包小腸

□ **イタリア料理**

□ カルパッチョ □ サルティンボッカ □ オッソブーコ □ ランプレドット
□ コテキーノ □ プロシュット □ ラルド □ パンチェッタ □ グアンチャーレ

☐ サラミ ☐ アクアパッツァ ☐ フリット ☐ カポナータ ☐ パルミジャーナ
☐ ブルスケッタ

☐ **スペイン料理**

☐ チョリソ ☐ イワシのマリネ ☐ ハモンセラーノ ☐ ハモンイベリコ
☐ ピンチョモルノ ☐ タコのガリシア風 ☐ コシード ☐ アヒージョ
☐ エスカベシュ ☐ エンパナーダ ☐ オジャポドリーダ ☐ ファバダ ☐ ミガス
☐ ピンチョス ☐ パンコントマテ ☐ ピミエントスデパドロン ☐ パタタスブラバス
☐ チャンピニョーネスアラプランチャ ☐ クロケタスデハモン ☐ モハマ
☐ バカラオアルピルピル ☐ マルミタコ ☐ フィデウア ☐ アロスネグロ
☐ サルスエラ

☐ **メキシコ料理**

☐ ポソレ ☐ セビーチェ ☐ ケサディーヤ ☐ チラキレス ☐ トルタ ☐ ワラチェ
☐ ワカモーレ ☐ トラユーダ ☐ ブリトー ☐ エンサラーダデノパリートス
☐ ソパデトルティーヤ ☐ ソパデアホイバカ ☐ カルネアサーダ ☐ バルバコア
☐ モーレ

☐ **ロシア料理**

☐ ブリヌイ ☐ オリヴィエサラダ ☐ ビネグレット ☐ ペリメニ ☐ ウハー
☐ サリャンカ ☐ ビーフストロガノフ ☐ ガルショーク ☐ チキンキエフ
☐ ガルプツィ ☐ プロフ ☐ ラグマン ☐ シャシリク ☐ ヒンカリ ☐ シチー

☐ **ドイツ料理**

☐ マウルタッシェン ☐ レバークネーデルズッペ ☐ グラーシュ ☐ シュニッツェル
☐ シュバイネハクセ ☐ シュバイネブラーテン ☐ シュパンヘルケル
☐ シュペッツレ ☐ アイスバイン ☐ ヴァイスヴルスト ☐ カリーヴルスト
☐ テューリンガー ☐ ニュルンベルガー ☐ フラムクーヘン

☐ **インドネシア料理**

☐ ミーゴレン ☐ テンペ ☐ バビグリン ☐ ミーアヤム ☐ ナシチャンプル ☐ サテ
☐ プルクデルジャグン ☐ バッソ ☐ ガドガド ☐ アヤムゴレン ☐ ソトアヤム
☐ ルンダン ☐ ピサンゴレン

☐ **ベトナム料理**

☐ ベトナム春巻き ☐ フォー ☐ バインミー ☐ ブンボーフエ ☐ バインセオ
☐ ゴイガー ☐ ソフトシェルクラブの唐揚げ ☐ チャールア ☐ ラウムンサオトイ
☐ ティットコーチュン ☐ チェー ☐ ゴイドゥードゥー ☐ コムタム ☐ ミークアン
☐ バインベオ ☐ ブンリュウ ☐ ゴイクオン ☐ バインカン ☐ チャーカー

☐ **ネパール料理**

☐ アルアチャール ☐ チュカウニ ☐ パドマスサデコ ☐ ギャコック ☐ アルタマ
☐ ダル ☐ セクワ ☐ ダルバート ☐ チャウミン ☐ トゥクパ ☐ アルプラタ
☐ アルタレコ ☐ シャパレ ☐ バラ ☐ モモ ☐ チャタモリ ☐ セルロティ

□ジャレビ

□トルコ料理

□シシケバブ □アダナケバブ □イスケンデルケバブ □キョフテ
□サバサンド □ミディエドルマ □メルジメッキチョルバス □チョバンサラタス
□フムス □ピラウ □マントゥ □ドンドゥルマ □バクラヴァ □ストラッチ
□アイラン □ビベルドルマス □ターゼファスリエ □カルヌヤルク
□ハムシタワ □ラフマージュン

□シンガポール料理

□ハイナンチーファン □チリクラブ □バクテー □ラクサ □ホッケンミー
□ヨンタオフー □カヤトースト □ロティプラタ □ペーパーチキン
□ナシビリヤニ □経済飯

□マレーシア料理

□ナシレマ □オタオタ □ムルタバ □スチームボート □チャークイティオ
□パイティー □チェンドル □ロティチャナイ

□タイ料理

□ムーピン □カオソーイ □カオニャオマムアン □ガイヤーン □タイスキ
□パッタイ □ガパオライス □ラープガイ □トムカーガイ □コームーヤーン
□ガイトート □カオパット □オースワン □トートマンクン □バミー
□カノムチャン □ラープムー □ムーガタ □クイッティアオ □ポピアソット

□エジプト料理

□コシャリ □ムルキーヤ □ターメイヤ □シャクシュカ □フールメダンメス
□ハマムマシュイ □ダウードバシャ □コフタ □ムサカ □オマーリ
□サハラブ □カルカデ □メハラビア

□モロッコ料理

□バスティラ □タジン鍋 □クナーファ □ハリラ □モロッカンサラダ
□ホブス □ムスンメン □ゴリーバ

□スリランカ料理

□インディアッパ □ゴダンバロティ □アンブルティヤル □キリバット
□コットゥ □カトレット □マッルン □スリランカオムレツ □パティス
□エッグホッパー □アラテルダーラ □ワタラッパン □コキス □アルワ
□カード

□パキスタン料理

□ティッカボッティバーベキュー □コフタカレー □シンディビリヤニ
□ムルグチョレー □シークケバブ □プラオ □チキンテッカ
□サブダナキール □ラスグラ □塩ラッシー □ラホーリフィッシュ
□チキンホワイトコルマ

☐ **オーストラリア料理**

☐ オーストラリアンミートパイ ☐ バンガーズアンドマッシュ
☐ アイリッシュシチュー ☐ ラムシャンク ☐ チキンシュニッツェル ☐ バラマンディ
☐ オージービーフ ☐ ルーミート ☐ ベジマイト ☐ オーシャントラウト

☐ **イギリス料理**

☐ ミートパイ ☐ シェパーズパイ ☐ サンデーロースト ☐ ポリッジ ☐ ハギス
☐ カレンスキンク ☐ パスティ ☐ ウェルシュラビット ☐ ジャケットポテト
☐ フィッシュアンドチップス ☐ ウナギのゼリー寄せ ☐ ケジャリー
☐ ブラックプディング ☐ スティッキートッフィープディング ☐ クランブル

☐ **珍味**

☐ 塩ウニ ☐ カラスミ ☐ このわた ☐ 鮭とば ☐ メフン ☐ キャビア
☐ 氷頭なます ☐ ルッツ ☐ ホヤ ☐ いなごの佃煮 ☐ とんぶり ☐ くさや
☐ はちのこ ☐ うるか ☐ 鮒寿司 ☐ タコわさ ☐ イカの塩辛
☐ ホタルイカの沖漬け ☐ イカそうめん ☐ なめろう ☐ もろきゅう ☐ エイひれ
☐ スルメ ☐ くちこ ☐ へしこ ☐ 酒盗 ☐ がん漬け ☐ ミミガー ☐ 小女子
☐ 煮こごり ☐ かまぼこ ☐ 笹かまぼこ ☐ カニかまぼこ ☐ 魚肉ソーセージ
☐ スモークサーモン ☐ なると

☐ **豆腐**

☐ 冷奴 ☐ 揚げ出し豆腐 ☐ おぼろ豆腐 ☐ 焼き豆腐 ☐ 絹ごし豆腐
☐ 木綿豆腐 ☐ 凍み豆腐 ☐ 高野豆腐 ☐ 寄せ豆腐 ☐ ソフト豆腐
☐ 堅豆腐 ☐ 豆腐よう ☐ 豆腐ハンバーグ ☐ 湯葉 ☐ オカラ

☐ **チキン**

☐ 唐揚げ ☐ 唐揚げ(レモン) ☐ 照り焼きチキン ☐ タンドリーチキン
☐ チキン竜田 ☐ ササミフライ ☐ 手羽先 ☐ チキン南蛮 ☐ ハワイアンチキン
☐ イタリアンチキン ☐ ジャークチキン ☐ ジンジャーチキン ☐ フライドチキン
☐ シュクメルリ ☐ バッファローチキン ☐ クリスピーチキン ☐ チキンソテー
☐ ハニーマスタードチキン ☐ ローストチキン ☐ ローズマリーチキン
☐ ひねぽん ☐ トリテキ ☐ グリルチキン ☐ 鶏皮ポン酢 ☐ 鶏の丸焼き
☐ 鶏のほろほろ煮 ☐ チューリップ唐揚げ ☐ カチャトーラ

☐ **揚げ物**

☐ エビフライ ☐ イカフライ ☐ オニオンリング ☐ アジフライ ☐ カキフライ
☐ サーモンフライ ☐ 豚カツ ☐ 味噌カツ ☐ メンチカツ ☐ 牛カツ ☐ 鶏カツ
☐ 串カツ ☐ ハムカツ ☐ ミルフィーユカツ ☐ コロッケ ☐ カニクリームコロッケ
☐ ギョロッケ ☐ カマンベールチーズフライ ☐ ちくわの磯辺揚げ
☐ タコの唐揚げ ☐ ライスボール ☐ アメリカンドッグ ☐ クルトン ☐ 文化フライ

☐ **天ぷら**

☐ エビ ☐ 鶏 ☐ イカ ☐ しらこ ☐ アナゴ ☐ アスパラ ☐ ピーマン ☐ ちくわ

☐ サツマイモ ☐ カボチャ ☐ レンコン ☐ ナス ☐ 納豆 ☐ かまぼこ ☐ マイタケ
☐ シイタケ ☐ オクラ ☐ タケノコ ☐ タラの芽 ☐ キス ☐ ワカサギ ☐ ハモ
☐ フグ ☐ シソ ☐ ワラビ ☐ セリ ☐ フキノトウ ☐ かき揚げ ☐ 利休揚げ

☐ ハンバーグ

☐ デミグラスハンバーグ ☐ 和風おろしハンバーグ ☐ 煮込みハンバーグ
☐ イタリアンハンバーグ ☐ チーズのせハンバーグ ☐ チーズインハンバーグ
☐ 照り焼きハンバーグ ☐ デミたまハンバーグ ☐ ミートボール ☐ ミートローフ
☐ シイタケの肉詰め ☐ ピーマンの肉詰め ☐ ロールキャベツ

☐ 肉料理

☐ ステーキ（レア） ☐ ステーキ（ミディアム） ☐ ステーキ（ウェルダン）
☐ サイコロステーキ ☐ サーロインステーキ ☐ リブロースステーキ
☐ ヒレステーキ ☐ レモンステーキ ☐ 牛肉のブルゴーニュ風 ☐ スペアリブ
☐ Tボーンステーキ ☐ ランプステーキ ☐ シャトーブリアンステーキ
☐ アントルコート ☐ シャリアピンステーキ ☐ タリアータ ☐ ビーフジャーキー
☐ タンシチュー ☐ ハッシュドビーフ ☐ どて焼き ☐ ビーフウェリントン
☐ チキンフライドステーキ ☐ イタリアンビーフ ☐ ロンドンブロイル
☐ ターフェルシュピッツ ☐ 馬刺し ☐ コンビーフ ☐ パストラミ ☐ しぐれ煮
☐ チリコンカン

☐ 大豆

☐ 枝豆 ☐ 枝豆茶豆 ☐ 枝豆黒豆 ☐ 納豆 ☐ 納豆（卵黄） ☐ 納豆（砂糖）
☐ 納豆（からし） ☐ ひきわり納豆 ☐ ドライ納豆 ☐ 黒豆納豆 ☐ 大粒納豆
☐ 煎り大豆

☐ 野菜料理

☐ 野菜炒め ☐ ゴーヤーチャンプルー ☐ おひたし ☐ 辛子レンコン ☐ 筑前煮
☐ 若竹煮 ☐ 切り干しダイコン ☐ ダイコンおろし ☐ きんぴらゴボウ
☐ 焼きナス ☐ 温野菜 ☐ アスパラロール ☐ サブジ ☐ おばんざい

飲む

☐ コーヒー

☐ コーヒー（ブラック） ☐ コーヒー（砂糖） ☐ コーヒー（ミルク）
☐ コーヒー（砂糖+ミルク） ☐ アイスコーヒー ☐ カフェオレ ☐ カフェモカ
☐ アイスカフェオレ ☐ エスプレッソ ☐ カフェラテ ☐ カフェコンレチェ
☐ カフェコレット ☐ カプチーノ ☐ ウィンナコーヒー ☐ アイリッシュコーヒー
☐ ダッチコーヒー ☐ カフェロワイヤル ☐ トルココーヒー ☐ ベトナムコーヒー
☐ インディアンコーヒー ☐ アメリカンコーヒー ☐ グリーンコーヒー

□ 鴛鴦茶（えんおうちゃ） □ インスタントコーヒー □ 缶コーヒー
□ 炭焼きコーヒー □ カフェインレスコーヒー □ カフェマキアート
□ ラテマキアート □ グアテマラ □ キリマンジャロ □ モカ
□ エメラルドマウンテン □ コナ □ ジャワ □ ブルーマウンテン □ マンデリン

□ **紅茶**

□ アールグレイ □ アッサム □ ダージリン □ ディンブラ □ ウバ □ キャンディ
□ ヌワラエリヤ □ ギャル □ ルフナ □ ニルギリ □ ドアーズ □ シッキム
□ ジャワ □ マレーシア □ キームン □ ケニア □ ルクリリ
□ アフリカンプライド □ リゼ □ ラプサンスーチョン □ ミルクティー
□ レモンティー □ アイスティー □ アイスレモンティー □ アイスミルクティー
□ チャイ □ ロシアンティー □ アップルティー □ マスカットティー
□ ブルーベリーティー □ バニラティー □ ジンジャーティー □ メープルティー
□ イングリッシュブレックファスト □ アイリッシュブレックファスト
□ プリンスオブウェールズ

□ **お茶**

□ 煎茶 □ 玉露 □ 玄米茶 □ ほうじ茶 □ 粉茶 □ 抹茶 □ 茎茶 □ 番茶
□ かぶせ茶 □ ぐり茶 □ 芽茶 □ 大福茶 □ 紅富貴 □ 静岡茶 □ 宇治茶
□ 狭山茶 □ 上喜撰 □ 碁石茶 □ 烏龍茶 □ 白茶 □ 黄茶 □ プーアル茶
□ バター茶 □ ジャスミン茶 □ 菊花茶 □ 蓮茶 □ あずき茶 □ そば茶
□ ハトムギ茶 □ トウモロコシ茶 □ マテ茶 □ 杜仲茶 □ ルイボス茶
□ コンブ茶 □ 桜茶 □ ユズ茶 □ 西湖龍井 □ 信陽毛尖 □ 洞庭碧螺春
□ 黄山毛峰 □ 六安瓜片 □ 都匀毛尖 □ 君山銀針 □ 武夷岩茶
□ 安渓鉄観音

□ **カクテル（ジン）**

□ ジントニック □ ジンフィズ □ ギムレット □ マティーニ □ ホワイトレディ
□ ブルームーン □ ギブソン □ シンガポールスリング □ ジンバック
□ ジンライム □ トムコリンズ

□ **カクテル（ウォッカ）**

□ モスコミュール □ ソルティドッグ □ ウォッカトニック □ ウォッカマティーニ
□ スクリュードライバー □ セックスオンザビーチ □ チチ □ ブラッディマリー
□ バラライカ □ ルシアン □ ブラックルシアン □ 雪国

□ **カクテル（テキーラ）**

□ マルガリータ □ アイスブレーカー □ エルディアブロ □ コンチータ
□ ストローハット □ スローテキーラ □ テキーラサンライズ □ マタドール
□ モッキンバード □ パロマ □ ブレイブブル □ メキシカン

□ **カクテル（ラム）**

□ ラムコーク □ ダイキリ □ モヒート □ XYZ □ キューバリブレ

□ スカイダイビング □ スコーピオン □ トムアンドジェリー □ ブルーハワイ
□ マイアミ □ ビトウィーンザシーツ □ マイタイ □ ホットバタードラム
□ ピニャコラーダ □ メアリーピックフォード □ クレオパトラ □ キューバリブレ
□ キューバンスクリュー □ ゾンビ

□ カクテル(ビール)

□ レッドアイ □ シャンディガフ □ ブラックベルベット □ パナシェ
□ ビターオレンジ □ カンパリビア □ ハーフ&ハーフ □ ミントビア
□ ブラックアンドホワイト □ エッグビール □ 爆弾酒 □ ホットビール
□ トロイの木馬

□ カクテル(ワイン)

□ キール □ キールロワイヤル □ キティ □ アメリカンレモネード
□ カーディナル □ スプリッツァ □ サングリア □ ベリーニ □ アディントン
□ アドニス □ キッスインザダーク □ ミモザ □ オペレーター □ フーゴ
□ カリモーチョ □ 午後の死

□ カクテル(ウイスキー)

□ ゴッドファーザー □ オールドファッションド □ マンハッタン
□ ミントジュレップ □ ラスティネイル □ ロブロイ □ ロバートバーンズ
□ ニューヨーク □ アフィニティ □ カウボーイ □ ホットウイスキートディ
□ アイリッシュアフタヌーン □ マミーテイラー □ スコッチキルト

□ カクテル(ブランデー)

□ サイドカー □ グランマルニエサイドカー □ アレキサンダー □ オリンピック
□ チェリーブロッサム □ フレンチコネクション □ コープスリバイバー
□ スティンガー □ ブランデーエッグノッグ □ ホーセズネック □ ニコラシカ
□ 電気ブラン

□ カクテル(リキュール)

□ カシスオレンジ □ カシスグレープフルーツ □ カシスソーダ □ カシスリッキー
□ カシスウーロン □ マリブミルク □ マリブピーチ □ マリブコーラ
□ カンパリオレンジ □ カンパリグレープフルーツ □ カンパリソーダ
□ カルーアミルク □ スプモーニ □ バイオレットフィズ □ アマレット
□ ファジーネーブル □ レゲエパンチ □ ピーチツリークーラー
□ チャイナブルー

□ ワイン

□ 赤ワイン □ 白ワイン □ ロゼワイン □ スパークリングワイン □ シャンパン
□ カバ □ 貴腐ワイン □ マデイラワイン □ ポートワイン □ シェリー
□ マラガワイン □ ヴェルモット □ サングリア □ グリューワイン
□ パイナップルワイン □ チェリーワイン □ オレンジワイン
□ フェーダーヴァイサー □ ボジョレーヌーボー □ シードル □ ペリー □ シンガニ

□ **ビール**

□ ラガー □ エール □ 白ビール □ 黒ビール □ 生ビール □ ジョッキ
□ 瓶ビール □ 第3のビール □ 発泡酒 □ ノンアルコールビール
□ ピルスナー □ ペールエール □ ベルジャンホワイト □ スタウト □ IPA
□ アンバーエール □ フルーツビール □ リアルエール □ バーレイワイン
□ サワーエール □ ゴールデンエール □ ヴァイツェン □ セゾンビール
□ シュバルツ □ ラオホ

□ **日本酒**

□ 吟醸酒 □ 大吟醸酒 □ 純米吟醸酒 □ 純米大吟醸酒 □ 純米酒
□ 特別純米酒 □ 本醸造酒 □ 特別本醸造酒 □ 灰持酒 □ にごり酒
□ どぶろく □ 甘酒

□ **焼酎**

□ 米焼酎 □ 麦焼酎 □ 芋焼酎 □ 黒糖焼酎 □ 粕取り焼酎 □ そば焼酎
□ 栗焼酎 □ ジャガイモ焼酎 □ トウモロコシ焼酎 □ 泡盛

□ **酒**

□ スコッチウイスキー □ アイリッシュウイスキー □ テネシーウイスキー
□ バーボンウイスキー □ カナディアンウイスキー □ ジャパニーズウイスキー
□ ラム □ カシャッサ □ ウォッカ □ ジン □ テキーラ □ ブランデー □ ラク
□ アラック □ ウーゾ □ 白酒 □ 茅台酒 □ 紹興酒 □ 老酒 □ マッコリ
□ 蜂蜜酒 □ 梅酒 □ 燗酒 □ ホッピー □ トノト □ ハブ酒 □ 卵酒 □ 薬用酒

□ **居酒屋アルコール**

□ ラムネサワー □ コーラサワー □ レモンサワー □ グレープフルーツサワー
□ パインサワー □ リンゴサワー □ シークワーサーサワー □ カルピスサワー
□ ミカンサワー □ 青リンゴサワー □ 巨峰サワー □ ピーチサワー
□ キウイサワー □ 柚子ハチミツサワー □ ハチミツレモンサワー
□ 梅干しサワー □ ハイボール □ ウーロンハイ

□ **ソフトドリンク**

□ コーラ □ ゼロカロリーコーラ □ サイダー □ 地サイダー □ メロンソーダ
□ クリームソーダ □ コーラフロート □ ハチミツレモン □ レモネード □ ラムネ
□ ガラナ □ リボンナポリン □ リボンシトロン □ ルートビア □ ノニジュース
□ ジンジャーエール □ オレンジジュース □ ブドウジュース □ リンゴジュース
□ パイナップルジュース □ ココナッツジュース □ グレープフルーツジュース
□ グアバジュース □ カルピスウォーター □ カルピスソーダ □ コーヒー牛乳
□ 牛乳 □ 豆乳 □ 乳酸菌飲料 □ トマトジュース □ 野菜ジュース □ 青汁
□ ココア □ ミルクココア □ アイスココア □ タピオカミルクティ
□ スポーツドリンク □ エナジードリンク □ ゼリー飲料 □ ミルクセーキ
□ エッグノッグ □ イチゴミルク □ 飲むヨーグルト □ スムージー

☐ 水
☐ 水道水 ☐ 白湯 ☐ ミネラルウォーター ☐ 海洋深層水 ☐ 軟水 ☐ 硬水
☐ アルカリイオン水 ☐ 水素水

身に着ける(可能なら街を歩く)

☐ トップス類
☐ シャツ ☐ ブラウス ☐ ワイシャツ ☐ ポロシャツ ☐ デニムシャツ ☐ ネルシャツ
☐ セーター ☐ Tシャツ ☐ アロハシャツ ☐ カットソー ☐ スウェットシャツ
☐ カーディガン ☐ トレーナー ☐ パーカー ☐ ベスト ☐ タンクトップ
☐ タートルネック ☐ ジャージ ☐ 浴衣 ☐ はっぴ ☐ エプロン ☐ パジャマ

☐ フォーマル
☐ スーツ ☐ 着物 ☐ 喪服

☐ アウター
☐ ジャンパー ☐ スカジャン ☐ スタジャン ☐ ジージャン ☐ 革ジャン
☐ レインコート ☐ コート ☐ ジャケット ☐ フリース ☐ ガウン ☐ ツナギ
☐ ウインドブレーカー ☐ ブレザー ☐ ダウンジャケット ☐ ポンチョ ☐ マント
☐ はんてん

☐ 色・柄
☐ 白 ☐ 黒 ☐ 赤 ☐ 青 ☐ 黄 ☐ 緑 ☐ 紫 ☐ 橙 ☐ 和柄 ☐ 迷彩 ☐ 花柄
☐ 唐草 ☐ チェック ☐ ストライプ ☐ ボーダー ☐ アニマル柄 ☐ 漢字 ☐ 英字

☐ 靴
☐ ブーツ ☐ スニーカー ☐ 長靴 ☐ サンダル ☐ スリッポン ☐ クロックス
☐ スリッパ ☐ ローファー ☐ 下駄

☐ アクセサリー類
☐ メガネ ☐ サングラス ☐ ネクタイ ☐ 蝶ネクタイ ☐ 手袋 ☐ マフラー
☐ ベルト ☐ ネックレス ☐ ペンダント ☐ チョーカー ☐ グラスコード
☐ ブレスレット ☐ バングル ☐ リストバンド ☐ アンクレット ☐ イヤリング
☐ イヤーカフ ☐ ミサンガ ☐ 指輪 ☐ 腕時計 ☐ 懐中時計 ☐ キーホルダー
☐ チェーン ☐ 数珠 ☐ 勾玉 ☐ ロケット ☐ ロザリオ ☐ ドッグタグ
☐ クロシェット ☐ ハンカチ ☐ バッジ ☐ ワッペン ☐ サスペンダー
☐ ネッカチーフ ☐ ポケットチーフ ☐ 軍手 ☐ 傘 ☐ 日傘 ☐ 腹巻 ☐ ももひき
☐ 足袋 ☐ ゴーグル ☐ タトゥーシール ☐ ペインティング

☐ 帽子類
☐ キャップ ☐ ハット ☐ ヘルメット ☐ サンバイザー ☐ 目出し帽
☐ イヤーマフラー ☐ 麦わら帽子 ☐ ベレー帽 ☐ シルクハット ☐ ハンチング帽

□ ニット帽 □ ショール □ スカーフ □ 手ぬぐい □ バンダナ □ ヘアバンド
□ 鉢巻 □ スイムキャップ □ ナイトキャップ □ 猫耳 □ ターバン

□ **ボトムス**

□ ジーンズ □ ダメージジーンズ □ デストロイドジーンズ □ ローライズ
□ ハーフパンツ □ ショートパンツ □ スラックス □ ステテコ □ チノパンツ
□ スキニー □ デギンス □ スパッツ □ パンタロン

行く

□ **施設**

□ 図書館 □ 公園 □ 自然公園 □ 庭園 □ 公民館 □ 市役所 □ 道の駅
□ アンテナショップ □ 動物園 □ 植物園 □ 水族館 □ 美術館 □ 博物館
□ 体育館 □ 科学館 □ 天文台 □ 灯台 □ 展望台 □ 史跡 □ 貝塚 □ 城
□ ごみ処理場 □ 発電所 □ 下水処理場 □ 浄水場 □ 空港 □ 港
□ フェリーターミナル □ 裁判所 □ 工場(見学)

□ **カフェ系**

□ カフェ □ 喫茶店 □ カフェテラス □ 純喫茶 □ メイド喫茶 □ 漫画喫茶
□ ジャズ喫茶 □ ネットカフェ □ ブックカフェ □ 猫カフェ □ 哲学カフェ
□ サイエンスカフェ □ 神社カフェ □ 茶屋

□ **宗教施設**

□ 神社 □ 神宮 □ 大社 □ 寺院 □ 墓地 □ カトリック教会
□ プロテスタント教会 □ モスク □ 稲荷神社 □ 八幡神社 □ 神明神社
□ 諏訪神社 □ 熊野神社 □ 春日神社 □ 八坂神社 □ 白山神社
□ 住吉神社 □ 日吉神社

□ **音楽系**

□ クラシックコンサート □ ジャズコンサート □ J-POPコンサート
□ 洋楽コンサート □ 演歌コンサート □ ピアノコンサート
□ アイドルコンサート □ ライブハウス □ 路上ライブ □ ロックフェス □ 音楽祭

□ **イベント**

□ 展示会 □ ファッションショー □ モーターショー □ 博覧会 □ 学会
□ シンポジウム □ ブライダルフェア □ コミックマーケット □ フリーマーケット
□ サイン会 □ 骨董市 □ 陶器市 □ お祭り □ 学園祭 □ 大学祭
□ 花火大会 □ 盆踊り □ セミナー □ デモ

□ **観劇系**

□ 演劇 □ ミュージカル □ オペラ □ バレエ □ 合唱 □ マジック □ サーカス
□ お笑いライブ □ トークライブ □ ディナーショー □ 紙芝居 □ 人形劇

□ 文楽 □ 能 □ 狂言 □ 式三番 □ 落語 □ 歌舞伎

□ **スポーツ観戦**

□ 相撲 □ プロレス □ 女子プロレス □ インターハイ □ プロ野球
□ 高校野球 □ サッカー □ フィギュアスケート □ 総合格闘技 □ 空手
□ 柔道 □ ボクシング □ モータースポーツ □ バスケ □ バレー □ ラグビー
□ テニス □ 卓球 □ バドミントン □ ゴルフ □ ホッケー

□ **飲食店**

□ 居酒屋 □ クラブ □ バー □ スナック □ ビヤホール □ 中華料理店
□ 四川料理店 □ 広東料理店 □ 北京料理店 □ 上海料理店
□ 台湾料理店 □ 韓国料理店 □ インド料理店 □ イタリア料理店
□ フランス料理店 □ スペイン料理店 □ メキシコ料理店 □ ロシア料理店
□ ドイツ料理店 □ インドネシア料理店 □ ベトナム料理店
□ ネパール料理店 □ トルコ料理店 □ シンガポール料理店
□ マレーシア料理店 □ タイ料理店 □ エジプト料理店 □ モロッコ料理店
□ スリランカ料理店 □ パキスタン料理店 □ オーストラリア料理店
□ ジビエ料理店 □ お好み焼き屋 □ カレー屋 □ 焼き肉屋 □ ハンバーグ店
□ とんかつ屋 □ ラーメン屋 □ ウナギ屋 □ そば屋 □ 立ち食いそば
□ うどん屋 □ 寿司屋 □ 回転寿司屋 □ 串カツ屋 □ 焼き鳥屋
□ 天ぷら料理店 □ カニ料理店 □ フグ料理店 □ スッポン料理店
□ 定食屋 □ 創作料理屋 □ 郷土料理店 □ 牛丼屋 □ しゃぶしゃぶ店
□ ステーキハウス □ ハンバーガー店 □ サンドイッチ店 □ フライドチキン店
□ ドライブイン □ 甘味処 □ フルーツパーラー □ ドーナツ店 □ 学生食堂
□ 社員食堂 □ 屋形船 □ 屋台 □ フードコート □ バイキング
□ ファミリーレストラン □ 割烹料理店 □ 懐石料理店 □ 精進料理店
□ 料亭 □ ミシュラン星ひとつの店 □ ミシュラン星ふたつの店
□ ミシュラン星みっつの店

□ **食品店**

□ 米屋 □ 酒屋 □ 豆腐屋 □ 駄菓子屋 □ 八百屋 □ 果物屋 □ 魚屋
□ 肉屋 □ 和菓子屋 □ ケーキ屋 □ パン屋 □ クレープ屋
□ アイスクリームショップ □ タコ焼き屋 □ たい焼き屋 □ 弁当屋 □ 惣菜屋
□ コーヒー豆屋 □ 味噌屋 □ 餃子屋 □ おにぎり屋 □ 朝市 □ 魚河岸

□ **専門店**

□ 書店 □ 古書店 □ 古本屋 □ 古着屋 □ リサイクルショップ □ 楽器屋
□ 釣具店 □ 金物屋 □ 家具屋 □ 書道道具店 □ 画材屋 □ 文房具屋
□ 不動産屋 □ 雑貨屋 □ 花屋 □ 時計屋 □ 写真屋 □ 自転車屋
□ 仏壇屋 □ 民芸店 □ 工芸品店 □ 土産物屋 □ 陶磁器店 □ タバコ屋

□ アクセサリーショップ □ 旅行代理店 □ 銀行 □ キャリアショップ □ 玩具屋
□ 模型屋 □ 鉄道模型店 □ 質屋 □ 衣料品店 □ ブティック □ 靴屋
□ 帽子屋 □ かばん店 □ 呉服屋 □ 宝石店 □ メガネ屋 □ はんこ屋
□ 鍵屋 □ 金券ショップ □ レンタルビデオ屋 □ CDショップ
□ ゲームソフト販売店 □ 石材店 □ 免税店 □ ペットショップ □ 床屋
□ 美容室 □ 接骨院 □ 整体院 □ 鍼灸院 □ マッサージ
□ スポーツ用品店 □ アウトドアキャンプ用品店 □ ゴルフショップ
□ パソコンショップ □ アニメショップ □ クリーニング屋 □ コインランドリー
□ デパート □ ディスカウントストア □ ショッピングセンター
□ アウトレットモール □ ホームセンター □ 100円ショップ □ 家電量販店
□ バイク販売店 □ カーディーラー □ 中古車販売店 □ カー用品店
□ スーパーマーケット □ コンビニエンスストア □ ドラッグストア
□ ベビー用品店 □ 子供服専門店 □ 漢方薬局 □ 骨董屋

□ 書店棚

□ 雑誌 □ 新刊 □ 文庫 □ 新書 □ 文学 □ 文芸 □ 地図・旅行ガイド
□ コミック □ ゲーム攻略 □ 教育 □ 歴史 □ 哲学 □ 宗教 □ ビジネス
□ 経営 □ 政治・社会 □ 経済 □ 法律 □ 金融 □ 就職 □ 辞書
□ 学習参考書 □ 育児 □ 料理 □ コンピューター □ 理学 □ 工学 □ 建築
□ 児童書・絵本 □ 医学・看護 □ 美術・古典芸能 □ 人文 □ 語学 □ 洋書
□ 生活実用 □ 趣味実用 □ スポーツ □ タレント・サブカルチャー

□ 娯楽施設

□ 遊園地 □ 映画館 □ サウナ □ 銭湯 □ スーパー銭湯 □ 温泉 □ 足湯
□ 露天風呂 □ ゲームセンター □ ボーリング □ ビリヤード □ ダーツ
□ パチンコ □ 競馬場 □ ドッグラン □ 競艇場 □ キャンプ場 □ 牧場
□ アスレチック場 □ ボルダリング □ スケート場 □ スキー場 □ ゴルフ場
□ カラオケ □ サファリパーク □ バッティングセンター □ ゴルフ練習場
□ 釣り堀 □ プール □ 海水浴場 □ 海の家 □ プラネタリウム
□ スポーツジム □ ショッピングモール □ 商店街

□ 縁日の屋台

□ 焼きそば □ タコ焼き □ お好み焼き □ イカ焼き □ ヨーヨー釣り
□ 金魚すくい □ わたあめ □ ベビーカステラ □ リンゴ飴 □ アンズ飴
□ お面 □ かき氷 □ かたぬき □ 射的 □ スーパーボールすくい
□ ソースせんべい □ チョコバナナ □ 輪投げ □ くじ

□ 都道府県

□ 北海道 □ 青森 □ 岩手 □ 宮城 □ 秋田 □ 山形 □ 福島 □ 茨城
□ 栃木 □ 群馬 □ 埼玉 □ 千葉 □ 東京 □ 神奈川 □ 新潟 □ 富山
□ 石川 □ 福井 □ 山梨 □ 長野 □ 岐阜 □ 静岡 □ 愛知 □ 三重 □ 滋賀

□ 京都 □ 大阪 □ 兵庫 □ 奈良 □ 和歌山 □ 鳥取 □ 島根 □ 岡山
□ 広島 □ 山口 □ 徳島 □ 香川 □ 愛媛 □ 高知 □ 福岡 □ 佐賀 □ 長崎
□ 熊本 □ 大分 □ 宮崎 □ 鹿児島 □ 沖縄

□ **自然**

□ 山 □ 川 □ 海 □ 砂浜 □ 湾 □ 森 □ 林 □ 草原 □ 高原 □ 崖 □ 丘
□ 谷 □ 湿原 □ 砂丘 □ 滝 □ 池 □ 沼 □ 湖 □ 泉 □ 入り江 □ 島 □ 岬
□ 洞窟 □ 峠 □ 坂 □ 夜景 □ 星空

□ **温泉**

□ 単純温泉 □ 塩化物泉 □ 炭酸水素塩泉 □ 硫酸塩泉 □ 二酸化炭素泉
□ 含鉄泉 □ 硫黄泉 □ 酸性泉 □ 放射能泉

□ **宿泊施設**

□ ビジネスホテル □ カプセルホテル □ シティーホテル
□ デザイナーズホテル □ ラグジュアリーホテル □ バジェットホテル
□ リゾートホテル □ 船上ホテル □ コテージ □ バンガロー □ ロッジ
□ ペンション □ 旅館 □ 民宿 □ グランピング

□ **マッサージ**

□ タイ式マッサージ □ 足つぼマッサージ □ リンパマッサージ
□ オイルマッサージ □ アロママッサージ □ ヘッドスパ □ スカルプケア
□ オステオパシー □ カイロプラクティック □ アーユルヴェーダ □ 指圧
□ 整体 □ リフレクソロジー □ あかすり

□ **橋**

□ けた橋 □ トラス橋 □ アーチ橋 □ 斜張橋 □ ラーメン橋 □ 吊り橋 □ 歩道橋

する

□ **運動**

□ ジョギング □ ウォーキング □ サイクリング □ 水泳 □ ラジオ体操第1
□ ラジオ体操第2 □ 腕立て伏せ □ 反復横跳び □ スクワット □ 腹筋
□ 背筋 □ 懸垂 □ ベンチプレス □ バタフライ □ ハンドグリッパー
□ トランポリン

□ **読む(文学賞作品)**

□ ノーベル文学賞 □ 芥川龍之介賞 □ 直木三十五賞 □ 本屋大賞
□ 三島由紀夫賞 □ 新田次郎文学賞 □ 吉川英治文学賞 □ 柴田錬三郎賞
□ 大藪春彦賞 □ 野間文芸賞 □ 中央公論文芸賞 □ 渡辺淳一文学賞
□ メフィスト賞 □ 谷崎潤一郎賞 □ 江戸川乱歩賞
□ 『このミステリーがすごい!』大賞 □ 星雲賞 □ 川端康成文学賞

□ 山田風太郎賞 □ 松本清張賞 □ 毎日出版文化賞 □ 読売文学賞
□ 泉鏡花文学賞 □ 織田作之助賞 □ 司馬遼太郎賞 □ 大佛次郎賞
□ 紫式部文学賞 □ Bunkamuraドゥマゴ文学賞

□ 読む（ジャンル）

□ 私小説 □ エンタメ小説 □ 推理小説 □ ミステリー小説 □ SF小説
□ ノベライズ □ 青春小説 □ 恋愛小説 □ ホラー小説
□ ハードボイルド小説 □ 経済小説 □ 歴史小説 □ 架空戦記 □ 海外文学
□ 自己啓発書 □ ビジネス書 □ 批評書 □ ライトノベル □ スピリチュアル
□ ノンフィクション □ 哲学書 □ 哲学入門書 □ 東洋思想書 □ 詩集
□ 写真集 □ 画集 □ 絵本 □ 歴史書 □ 経済書 □ スポーツ書 □ 健康本
□ 科学教養本 □ 料理本 □ ハウトゥー本 □ タレント本 □ 暴露本
□ グルメ本 □ 伝記 □ 自伝 □ 紀行 □ 国内旅行ガイド □ 海外旅行ガイド
□ 児童書 □ エッセイ □ 図鑑 □ 百科事典 □ ムック □ 文庫 □ 新書
□ 雑誌 □ 楽譜 □ 学習参考書

□ 乗る（移動）

□ 普通自動車 □ タクシー □ 電車 □ 新幹線 □ 汽車 □ フェリー □ 小型船
□ ボート □ 筏 □ カヌー □ バイク □ 飛行機 □ トラック □ 人力車
□ 自転車 □ 電動自転車 □ 三輪車 □ 電動立ち乗り二輪車
□ キックボード □ バス □ ハイヤー □ 馬車 □ モノレール □ ロープウェイ
□ エレベーター □ エスカレーター □ ヘリコプター □ 路面電車

□ 挨拶

□ おはよう □ こんにちは □ こんばんは □ さようなら □ ありがとう
□ おやすみなさい □ すみません □ いただきます □ ごちそうさま
□ いってきます □ ただいま

□ 寝る

□ 早起き □ 夜更かし □ 二度寝 □ 朝寝 □ 昼寝 □ 徹夜 □ うたた寝

□ 聴く（音楽）

□ J-POP □ K-POP □ C-POP □ 洋楽ポップス □ アニソン
□ ヒップホップ □ R&B □ レゲエ □ ブルース □ 邦楽ロック □ 洋楽ロック
□ ハードロック □ パンク □ フォーク □ テクノ □ ハウス □ クラブ □ トランス
□ ユーロビート □ ボレロ □ ルンバ □ マンボ □ サルサ □ サンバ □ タンゴ
□ ランバダ □ 演歌 □ ジャズ □ シャンソン □ ディスコ □ アカペラ
□ ゴスペル □ ソウルミュージック □ インディーズ □ インストゥルメンタル
□ ヘヴィメタル □ デスメタル □ グランジ □ 軍歌 □ 讃美歌 □ 童謡 □ 民謡
□ ボカロ □ ゲームミュージック □ ノイズミュージック □ ケルト音楽
□ コミックソング □ オルゴール

□ 聴く（クラシック）

□ ソナタ □ ロンド □ カノン □ アリア □ セレナーデ □ バラード □ ロマンス
□ マーチ □ フーガ □ レクイエム □ エチュード □ ノクターン □ アンサンブル
□ エレジー □ メヌエット □ ワルツ □ ラプソディ □ カプリッチオ □ ソナチネ
□ スケルツォ □ 交響曲 □ 協奏曲 □ 組曲

□ 遊ぶ

□ ハンドスピナー □ ジグソーパズル □ ルービックキューブ □ プラモデル
□ ヨーヨー □ けん玉 □ レゴブロック □ べーごま □ 知恵の輪 □ めんこ
□ 紙風船 □ 折り紙 □ 紙飛行機 □ 紙鉄砲 □ 水鉄砲 □ エアガン
□ 紙相撲 □ 手持ち花火 □ ロケット花火 □ 線香花火 □ ねずみ花火
□ へび花火 □ 打ち上げ花火 □ パラシュート花火 □ だるま落とし □ 輪投げ
□ ソフトグライダー □ ビー玉 □ お手玉 □ 水切り □ 草笛 □ おはじき
□ あみだくじ □ 竹とんぼ □ しゃぼん玉 □ チェーンリング □ ぐるぐるバット
□ 縄跳び □ 風車 □ ふくわらい □ 羽子板 □ やじろべえ □ あやとり
□ 一輪車 □ ホッピング □ 竹馬 □ 凧あげ □ すごろく □ トランプ □ UNO
□ オセロ □ 花札 □ 囲碁 □ 将棋 □ ボードゲーム □ 麻雀
□ テーブルトークRPG

□ タバコ

□ 紙巻きタバコ □ 加熱式タバコ □ 電子タバコ □ 葉巻 □ パイプ
□ 嗅ぎタバコ □ 嚙みタバコ □ キセル □ 水タバコ

□ 摂る（サプリ）

□ プロテイン □ アミノ酸 □ 亜鉛 □ 鉄分 □ カルシウム □ ビタミン
□ ミネラル □ DHA □ ギャバ □ 乳酸菌 □ ビフィズス菌 □ イソフラボン
□ コラーゲン □ 葉酸 □ 食物繊維 □ コエンザイム □ グルコサミン
□ セサミン □ ルテイン □ マカ □ アセロラ □ 黒酢 □ ニンニク □ 高麗人参
□ ローヤルゼリー □ ウコン □ ブルーベリー □ ガラナエキス □ 冬虫夏草

□ アウトドア

□ 登山 □ キャンプ □ 天体観測 □ バーベキュー □ 釣り □ 潮干狩り
□ 味覚狩り □ 紅葉狩り □ ピクニック □ ハイキング □ トレッキング
□ サイクリング □ 海水浴 □ バードウォッチング □ 史跡めぐり □ 名所めぐり
□ 食べ歩き

□ トランプゲーム

□ ババ抜き □ 七並べ □ スピード □ 大富豪 □ 神経衰弱
□ ブラックジャック □ ポーカー □ セブンブリッジ □ ぶたのしっぽ
□ ページワン □ ピラミッド □ うすのろ □ ジンラミー □ ジジ抜き □ ソリティア
□ スパイダーソリティア □ フリーセル

□ 楽しむ（遊園地）

□ 観覧車 □ ジェットコースター □ お化け屋敷 □ メリーゴーラウンド □ 迷路
□ シューティングライド □ ウォーターライド □ フロッグホッパー
□ コーヒーカップ □ 回転ブランコ □ ミュージックエキスプレス □ ミラーハウス
□ ゴーカート □ ロードトレイン □ バイキング □ パンダカー

□ 遊ぶ（公園）

□ ジャングルジム □ ブランコ □ シーソー □ すべり台 □ ローラーすべり台
□ うんてい □ 鉄棒 □ 砂場 □ スプリング遊具 □ ロープウェイ □ はん登棒

□ 身体

□ 歩く □ 走る □ 全力疾走 □ 片足で立つ □ 歌う □ 鼻歌 □ 大声
□ 裸足で外を歩く □ 汗をかく □ 長風呂 □ スキップ □ 背中をかく □ 口笛
□ ジャンプ □ あくび □ 咳 □ 背伸び □ 溜息 □ 低周波 □ 健康診断
□ ダンス □ ヨガ □ 瞑想 □ 断食 □ プチ断食 □ 腹八分 □ 満腹

□ 書く

□ 手紙 □ メール □ 絵はがき □ 日記 □ 絵日記 □ 写経 □ 遺言状 □ 遺書
□ 読書感想文 □ 短編小説 □ 詩 □ 俳句 □ 短歌 □ 紀行 □ 川柳
□ 篆書 □ 隷書 □ 草書 □ 行書 □ 楷書 □ 家計簿 □ 塗り絵

□ 行動

□ 寄付 □ 自己暗示 □ 三枚おろし □ オーダーメイド □ たき火
□ テイクアウト □ 出前 □ ウィンドウショッピング □ IQテスト □ 暗算 □ 祈祷
□ 宝くじ □ 福引き □ 裁縫 □ 編み物 □ 似顔絵 □ デッサン □ 靴磨き
□ 洗い物 □ 衝動買い □ ジャケ買い □ 花を咲かせる □ 穴を掘る
□ 穴を埋める □ 知らない駅で降りる □ 中古品を買う □ 中古品を売る

観る・見る

□ 宝石

□ アイオライト □ アウイナイト □ アクアオーラ □ アクアマリン □ メノウ
□ アズライト □ アパタイト □ アベンチュリン □ アマゾナイト □ アメシスト
□ アメトリン □ アルマンディン □ アレキサンドライト □ アンデシン
□ アンドラダイト □ コハク □ アンモライト □ インディゴライト
□ ウォーターメロン □ ウヴァロヴァイト □ ウレキサイト □ エメラルド
□ オニキス □ オパール □ オブシディアン □ オーロラオーラ □ カイヤナイト
□ カルサイト □ カルセドニー □ ガーネット □ カーネリアン □ キャッツアイ
□ クリスタル □ クリソプレーズ □ クリソベリル □ クリソコラ □ グロッシュラー
□ クンツァイト □ コスモオーラ □ コーラル □ ゴールデンオーラ

□ サファイア □ サンストーン □ サーペンティン □ 黒玉 □ ヒスイ
□ ジャスパー □ ショール □ ジルコン □ スギライト □ スピネル
□ スフェーン □ スペッサルティン □ スモーキークォーツ □ セレスタイト
□ ゾイサイト □ ソーダライト □ ダイオプサイド □ タイガーズアイ
□ ダイヤモンド □ タンザナイト □ ターコイズ □ チャロアイト □ ツァボライト
□ トパーズ □ トルマリン □ ネフライト □ パイライト □ パイロープ
□ ハックマナイト □ パパラチアサファイア □ パール □ ブラックオパール
□ ブラッドストーン □ フローライト □ ペツォッタイト □ ヘマタイト □ ペリドット
□ マラカイト □ ムーンストーン □ モルガナイト □ ユークレース
□ ラピスラズリ □ ラブラドライト □ ラリマー □ ルチル □ ルビー
□ ローズオーラ □ ローズクォーツ □ ロードクロサイト

□ 花

□ アサガオ □ アジサイ □ アツモリソウ □ アネモネ □ アブラナ
□ アマリリス □ アヤメ □ アルストロメリア □ イブキトラノオ □ ウメ
□ エゾエンゴサク □ エゾヤマザクラ □ エゾルリムラサキ □ オオイヌノフグリ
□ オオガハス □ オオバコ □ オオバナノエンレイソウ □ オオハンゴンソウ
□ オトギリソウ □ オトメユリ □ オンシジウム □ カキツバタ □ カサブランカ
□ カスミソウ □ カタクリ □ カトレア □ カノコユリ □ カラー □ カーネーション
□ ガーベラ □ キキョウ □ キク □ キタコブシ □ 金日成花 □ 金正日花
□ キョウチクトウ □ キリ □ キンシバイ □ キンセンカ □ キンモクセイ □ クズ
□ クマガイソウ □ グラジオラス □ クリスマスローズ □ クレマチス
□ クロッカス □ クロユリ □ ケイトウ □ ゲッカコウ □ コウリンタンポポ
□ コチョウラン □ コスモス □ コブシ □ コマクサ □ サクラ □ サクラソウ
□ サザンカ □ サツキ □ サルスベリ □ サルビア □ ザゼンソウ □ シクラメン
□ シコンノボタン □ シバザクラ □ シャクナゲ □ シャクヤク □ ジャスミン
□ シュウメイギク □ シラン □ シロツメクサ □ ジンチョウゲ □ シンビジウム
□ スイセン □ スイレン □ スイートピー □ スズラン □ スノーフレーク
□ スミレ □ セイヨウタンポポ □ ゼラニウム □ ソメイヨシノ □ ダリア
□ タンポポ □ チゴユリ □ チシマザクラ □ チューリップ □ ツツジ □ ツバキ
□ ツユクサ □ デイジー □ デルフィニウム □ トリカブト □ トルコキキョウ
□ ナズナ □ ナデシコ □ ニッコウキスゲ □ ネジバナ □ ネムノキ □ ノアザミ
□ ノバラ □ ハイビスカス □ バウヒニア □ ハクモクレン □ ハコベ □ ハス
□ ハナショウブ □ ハナズオウ □ ハナニラ □ ハナミズキ □ ハマナス □ バラ
□ ハルジオン □ パンジー □ ヒガンバナ □ ヒナゲシ □ ヒマワリ
□ ヒメオドリコソウ □ ヒメジョオン □ ヒヤシンス □ ヒルガオ
□ ブーゲンビリア □ フクジュソウ □ フジ □ ブッソウゲ □ フヨウ
□ フリージア □ ブルグマンシア □ ブルースター □ ベゴニア □ ベニバナ

□ ポインセチア □ ホウセンカ □ ボケ □ ボタン □ ホテイアオイ □ ホトトギス
□ ポピー □ マリーゴールド □ マーガレット □ ミズバショウ □ ミモザ
□ ミヤギノハギ □ ミヤマキリシマ □ ムクゲ □ ムラサキケマン
□ ムラサキサギゴケ □ ムラサキツユクサ □ モクレン □ ヤエザクラ
□ ヤグルマギク □ ヤナギタンポポ □ ヤマブキ □ ユキノシタ □ ユキヤナギ
□ ユリ □ ヨルガオ □ ライラック □ ラベンダー □ ラナンキュラス □ ラン
□ リンドウ □ ルドベキア □ ルピナス □ レブンウスユキソウ □ レンゲソウ
□ レンゲツツジ □ ワレモコウ

□ 観葉植物

□ シェフレラ（カポック） □ フィカス・ベンガレンシス
□ シェフレラ・アンガスティフォリア □ ツピタンサス（シェフレラ・ピュックレリ）
□ ゴムの木 □ パキラ □ フィカス・ウンベラータ
□ フィカス・ベンジャミン・バロック □ ガジュマル
□ ヘテロパナックス・フレグランス □ コーヒーの木 □ ソフォラ・ミクロフィラ
□ エバーフレッシュ □ オリーブ □ コルディリネ・チョコレートクイーン
□ モンステラ □ アロカシア・アマゾニカ □ クワズイモ □ アンスリウム
□ オーガスタ □ テーブルヤシ □ アガベ □ フィロデンドロン・セローム
□ アスパラガス・セタケウス □ アンスリウム・クラリネルビウム □ ヒメモンステラ
□ アスプレニウム □ ビカクシダ □ アジアンタム □ フィットニア □ ピレア
□ サンスベリア □ ホヤカルノーサ □ ペペロミアアングラータ
□ フィカス・プミラ □ ティランジア（エアープランツ） □ ワイヤープランツ
□ ネフロレピス・ツデー □ ポトス □ フレボディウム・アウレウム（ブルースター）
□ ビロードカズラ □ アイビー □ オリヅルラン □ ネペンテス
□ ティランジア・ウスネオイデス

□ 木

□ アカマツ □ イチイ □ イチョウ □ イブキ □ エゾマツ □ カヤ □ カラマツ
□ クロマツ □ コウヤマキ □ サワラ □ スギ □ タイヒ □ トチ □ ネズコ
□ ヒノキ □ ヒバ □ ヒメコマツ □ モミ □ ヤクスギ □ アカギ □ アオダモ
□ アカガシ □ アサダ □ イタヤカエデ □ エンジュ □ カツラ □ キハダ
□ クスノキ □ クリ □ クワ □ ケヤキ □ ケンポナシ □ サワグルミ □ シナ
□ シュリザクラ □ シラガシ □ シラカバ □ セン □ ダケカンバ □ タブノキ
□ タモ □ ツバキ □ トチ □ ナラ □ ニレ □ ブナ □ ホオ □ マカバ
□ マテバシイ □ ヤマザクラ

□ 動物園

□ カバ □ キリン □ チーター □ ゾウ □ ライオン □ サル □ サイ □ ゴリラ
□ チンパンジー □ レッサーパンダ □ ヒグマ □ ヒツジ □ ワニ □ カンガルー
□ パンダ □ フクロウ □ クマ □ ペンギン □ シマウマ □ カワウソ □ トラ

□ キジ □ クジャク □ ワシ □ タカ □ バク □ アリクイ □ ツル □ バイソン
□ シカ □ オオカミ □ ウサギ □ ニワトリ □ ラマ □ アルパカ □ オカピ
□ フラミンゴ □ コアラ □ シロクマ

□ 水族館

□ イルカ □ ペンギン □ クジラ □ アシカ □ サメ □ マグロ □ ラッコ
□ クラゲ □ カクレクマノミ □ ウミガメ □ アザラシ □ タツノオトシゴ
□ セイウチ □ エイ □ イワシ □ シャチ □ マンボウ □ チンアナゴ
□ オットセイ □ カワウソ □ ダイオウグソクムシ □ ハゼ □ フグ

□ ペットショップ

□ イヌ □ ネコ □ 金魚 □ ハムスター □ ウサギ □ フェレット □ インコ
□ オウム □ モルモット □ トカゲ □ カメ □ カエル □ クモ □ リス
□ カブトムシ □ クワガタ □ 熱帯魚 □ ヘビ □ ウーパールーパー □ ザリガニ
□ メダカ

□ 鏡（表情）

□ 真顔 □ 嬉しい □ 困った □ たくらむ □ ぼんやり □ 物憂げ □ 色っぽい
□ ひきつる □ 笑う □ 優しい □ 微笑む □ 爆笑 □ 笑いをこらえる
□ 愛想笑い □ 怒る □ 激怒 □ 悲しい □ 不安 □ 恐怖 □ 絶望 □ 泣く
□ 号泣 □ あきれる □ 見下す □ あざ笑う □ 恥じる □ 好意 □ 敵意
□ 落ち込む □ 興奮 □ 自慢 □ ドヤ顔 □ 疑い □ ポーカーフェイス □ 驚く
□ 驚愕

□ 映画

□ アニメ □ 実写化 □ アクション □ カンフー □ ギャング □ クライム □ 冒険
□ ポリスアクション □ ミリタリー □ スパイ □ ヤクザ □ SF
□ スペースオペラ □ 怪獣 □ スラップスティックコメディ
□ ロマンティックコメディ □ スクリューボールコメディ □ バイオレンス
□ ゾンビ □ サスペンス □ 時代劇 □ ファミリー □ ミステリー □ ホラー
□ 歴史 □ 戦争 □ 青春 □ 西部劇 □ パニック □ ドキュメンタリー
□ ファンタジー □ ヒューマンドラマ □ ミュージカル □ 恋愛 □ オムニバス
□ ヴィジランテ □ ロードムービー □ サイレント □ ショートフィルム □ 3D
□ カルト □ B級 □ 吹き替え □ 字幕 □ アカデミー賞
□ ゴールデングローブ賞 □ インディペンデントスピリット賞
□ ゴールデンラズベリー賞 □ アニー賞 □ 日本アカデミー賞
□ 英国アカデミー賞 □ セザール賞 □ ブルーリボン賞
□ カンヌ国際映画祭 □ ベルリン国際映画祭 □ ヴェネツィア国際映画祭
□ 東京国際映画祭 □ ハリウッド映画 □ 日本映画 □ 韓国映画
□ 中国映画 □ スペイン映画 □ フランス映画 □ ドイツ映画 □ イタリア映画
□ イギリス映画 □ インド映画

□ テレビ

□ バラエティ □ クイズ □ アニメ □ 特撮 □ 教育 □ 語学 □ 音楽 □ 料理
□ グルメ □ 旅行 □ 生活情報 □ 趣味 □ お笑い □ ドキュメンタリー
□ ワイドショー □ テレビショッピング □ ニュース □ ドラマ □ 海外ドラマ
□ 韓流ドラマ □ 時代劇 □ 天気予報 □ 国会中継 □ スポーツ □ 生放送
□ 帯番組 □ 深夜番組

□ 芸術

□ 絵画(洋画) □ 絵画(日本画) □ 浮世絵 □ 骨董品 □ 芸術写真 □ 書道
□ 華道 □ 陶芸 □ ちぎり絵 □ 盆栽 □ 版画 □ 押し花 □ 手芸 □ 工芸
□ ガーデニング □ ガラス工芸 □ 紙粘土 □ 切り絵 □ 詩吟
□ フラワーアレンジメント □ 彫刻 □ 刺繡 □ ステンドグラス □ 革工芸
□ 水墨画 □ 掛け軸

□ 星座(日本で観測できるといわれる星座)

□ アンドロメダ座 □ いっかくじゅう座 □ いて座 □ いるか座
□ インディアン座 □ うお座 □ うさぎ座 □ うしかい座 □ うみへび座
□ エリダヌス座 □ おうし座 □ おおいぬ座 □ おおかみ座 □ おおぐま座
□ おとめ座 □ おひつじ座 □ オリオン座 □ がか座 □ カシオペヤ座
□ かじき座 □ かに座 □ かみのけ座 □ からす座 □ かんむり座
□ きょしちょう座 □ ぎょしゃ座 □ きりん座 □ くじら座 □ ケフェウス座
□ ケンタウルス座 □ けんびきょう座 □ こいぬ座 □ こうま座 □ こぎつね座
□ こぐま座 □ こじし座 □ コップ座 □ こと座 □ コンパス座 □ さいだん座
□ さそり座 □ さんかく座 □ しし座 □ じょうぎ座 □ たて座 □ ちょうこくぐ座
□ ちょうこくしつ座 □ つる座 □ てんびん座 □ とかげ座 □ とけい座
□ とも座 □ はくちょう座 □ はと座 □ ふたご座 □ ペガスス座 □ へび座
□ へびつかい座 □ ヘルクレス座 □ ペルセウス座 □ ほ座
□ ぼうえんきょう座 □ ほうおう座 □ ポンプ座 □ みずがめ座
□ みなみじゅうじ座 □ みなみのうお座 □ みなみのかんむり座 □ や座
□ やぎ座 □ やまねこ座 □ らしんばん座 □ りゅう座 □ りゅうこつ座
□ りょうけん座 □ レチクル座 □ ろ座 □ ろくぶんぎ座 □ わし座

使う(手に取る、触るだけも可)

□ 調理器具

□ フライパン □ たまご焼き器 □ 三徳包丁 □ 牛刀包丁 □ 出刃包丁
□ 柳刃包丁 □ ペティナイフ □ パン切り包丁 □ 刺身包丁 □ 中華鍋
□ 圧力鍋 □ フライヤー □ ロースター □ ホットプレート □ ホットサンドメーカー

□ まな板 □ ボウル □ やかん □ 土鍋 □ 蒸し器 □ スライサー
□ ホームベーカリー □ ジューサー □ ミキサー □ ハンドミキサー
□ フードプロセッサー □ おろし金 □ ピーラー □ すり鉢 □ すりこぎ
□ 泡だて器 □ ハンドミキサー □ 刷毛 □ 計量カップ □ 計量スプーン
□ おたま□ ざる □ クッキングシート □ 缶切り □ ワインオープナー
□ レモン絞り器□ 電子レンジ □ オーブントースター □トースター
□ オーブンレンジ □ 七輪

□ 文房具

□ 鉛筆 □ 色鉛筆 □ ロケット鉛筆 □ はさみ □ 消しゴム □ ねりけし
□ すなけし □ 定規 □ 付箋 □ ノート □ ホッチキス □ 万年筆
□ シャープペンシル □ ボールペン □ サインペン □ 蛍光ペン
□ ホワイトボード □ 黒板 □ 黒板消し □ チョーク □ ハンコ □ そろばん
□ 電卓 □ コンパス □ 分度器 □ 筆箱 □ 鉛筆削り □ パンチ □ 指サック
□ ペーパーナイフ □ レターオープナー □ カッターナイフ □ カッティングマット
□ グリースペンシル □ 封筒 □ ルーズリーフ □ 画用紙 □ スケッチブック
□ 原稿用紙 □ 方眼紙 □ カーボン紙 □ クレヨン □ パステル □ 絵具
□ 絵筆 □ 墨汁 □ 半紙 □ 硯 □ 文鎮 □ 接着剤 □ スティックのり
□ テープのり □ 修正液 □ 修正テープ □ セロハンテープ □ ガムテープ
□ マスキングテープ □ 両面テープ □ 彫刻刀 □ クリップ □ 画鋲 □ 下敷き

□ 身だしなみ

□ 香水 □ 爪切り □ 爪磨き □ 洗顔 □ あぶらとり紙 □ 化粧水 □ 乳液
□ パック □ 舌ブラシ □ くし □ ヘアブラシ □ドライヤー □ 耳かき □ 目薬
□ ホットアイマスク □ シャンプー □ リンス □ 垢すり □ 手洗い □ 歯磨き
□ デンタルフロス □ 歯間ブラシ □ 電動歯ブラシ □ デンタルリンス
□ マウスウォッシュ □ うがい薬 □ リップクリーム □ ハンドクリーム
□ フットクリーム □ かかとやすり □ デオドラント □ 制汗剤

□ 睡眠

□ アイマスク □ 耳栓 □ ナイトキャップ □ パジャマ □ 浴衣 □ 裸 □ 抱き枕
□ 低反発枕 □ 蕎麦殻枕 □ ベッド □ 畳 □ 布団 □ 床 □ 羽毛 □ 毛布
□ タオルケット □ ウォーターベッド □ 電気毛布 □ ゆたんぽ

□ 家電

□ 冷蔵庫 □ 洗濯機 □ 衣類乾燥機 □ 掃除機 □ パソコン □ エアコン
□ 扇風機 □ サーキュレーター □ 冷風機 □ ハンディファン □ 空気清浄機
□ テレビ □ プロジェクター □ リモコン □ ヘッドホン □ イヤホン
□ ポータブルオーディオプレーヤー □ スピーカー □ コンポ □ ICレコーダー
□ ラジオ □ テレビゲーム機本体 □ 携帯ゲーム機本体 □ 電子辞書
□ 電子書籍端末 □ タブレット端末 □ プリンタ □ プリンタ用カートリッジ

□ モニター □ マウス □ キーボード □ ウェブカメラ □ シュレッダー
□ ラミネーター □ ルーター □ イメージスキャナ □ HDD □ スマートホン
□ モバイルバッテリー □ トランシーバー □ 補聴器
□ デジタルカメラ(コンパクト) □ デジタルカメラ(一眼レフ)
□ デジタルビデオカメラ □ 自撮り棒 □ ドライブレコーダー □ 双眼鏡
□ 家庭用ゴミ処理機 □ 冷凍庫 □ 保冷庫 □ 除湿機 □ 加湿器
□ 電気ストーブ □ 電気温風機 □ 電気カーペット □ 電気毛布
□ 電気こたつ □ 石油暖房器具 □ ガス暖房器具 □ 炊飯器 □ 電気ポット
□ 電気ケトル □ 浄水器 □ 浄水器用カートリッジ □ 食器洗い機
□ もちつき機 □ アイロン □ ズボンプレッサー □ ふとん乾燥機 □ ドライヤー
□ ヘアアイロン □ フェイスケア器具 □ マッサージチェア □ ボディケア器具
□ 電子体温計 □ 体組成計 □ 電子歩数計 □ 温水洗浄便座
□ ヒートポンプ給湯器 □ 火災警報器 □ 太陽光発電機 □ センサーライト
□ モニター付きドアホン □ 電動アシスト自転車 □ 温度計

□ 工具

□ ソケットレンチ □ メガネレンチ □ コンビネーションレンチ □ 六角レンチ
□ モンキーレンチ □ ボックスレンチ □ プラスドライバー □ マイナスドライバー
□ 貫通ドライバー □ ソケットドライバー □ ラチェットドライバー
□ トルクレンチ □ パイプレンチ □ ペンチ □ ポンチ □ プライヤ
□ ラジオペンチ □ ニッパ □ ウォーターポンププライヤ □ インパクトドライバー
□ サンダー □ ハンマードリル □ 電動丸ノコ □ チェーンソー □ 糸鋸
□ ノコギリ □ 紙やすり □ やすり □ ワイヤーブラシ □ やっとこ □ 半田ごて
□ カンナ □ クランプ □ キリ □ ニブラ □ サシガネ □ ノギス
□ マイクロメーター □ メジャー □ スパナ □ ノミ □ バール □ ハンマー
□ ワイヤーストリッパー

□ 家具・インテリア

□ ダイニングテーブル □ リビングテーブル □ 座卓・ローテーブル
□ パソコンデスク □ カウンターテーブル □ サイドテーブル □ ナイトテーブル
□ 折りたたみテーブル □ こたつ □ ちゃぶ台 □ コンソールテーブル
□ デスクワゴン □ ダイニングチェア □ デスクチェア □ スツール
□ ダイニングベンチ □ 丸椅子 □ 学習椅子 □ カウンターチェア
□ 折りたたみ椅子 □ スタッキングチェア □ 踏み台 □ 座椅子 □ オットマン
□ ファブリックソファ □ レザーソファ □ 合皮ソファ □ リクライニングソファ
□ カウチソファ □ コーナーソファ □ ローソファ・フロアソファ □ ソファベッド
□ コンパクトソファ □ 収納付きベッド □ ローベッド・フロアベッド
□ パイプベッド □ スタンダードベッド □ 折りたたみベッド □ 脚付きマットレス
□ 2段ベッド □ ロフトベッド □ 畳ベッド □ カラーボックス □ 収納ボックス

□ スチールラック・スチールシェルフ □ コレクションケース □ オープン本棚
□ スライド本棚 □ 扉付き本棚 □ ドレープカーテン □ 遮光カーテン
□ 遮熱カーテン □ 防炎カーテン □ 遮音（防音）カーテン □ レースカーテン
□ ロールスクリーン・ロールカーテン □ ブラインド □ シェード・シェードカーテン
□ カフェカーテン □ すだれ □ のれん □ タッセル □ ラグ □ カーペット
□ タイルカーペット □ ジョイントマット □ コルクマット □ 玄関マット
□ バスマット □ キッチンマット □ 畳 □ フロアマット □ 階段マット
□ 防音マット □ シューズラック □ スリッパラック □ 下駄箱
□ ドレッサー・鏡台 □ すのこ □ ふとん圧縮袋 □ ハイチェスト □ ローチェスト
□ ミニチェスト □ ハンガー □ ハンガーラック □ ポールハンガー
□ ウォールハンガー □ ドアハンガー □ 押入れ収納ケース □ クローゼット収納ケース □ ベッド下収納ケース □ つっぱり棒 □ つっぱり棚 □ 食器棚
□ キッチンボード □ キッチンカウンター □ レンジ台・レンジラック
□ キッチンワゴン □ シンク下収納ラック □ ポリ袋スタンド □ 傘立て □ 花瓶
□ フォトフレーム □ 額縁 □ 置時計 □ 壁掛け時計 □ カレンダー □ ポスター
□ 携帯・スマホスタンド □ リモコンスタンド
□ ウォールポケット・ウォールシェルフ □ メガネスタンド □ 達磨

□ 生活日用品

□ バケツ □ 雑巾 □ ゴム手袋 □ ゴミ拾いトング □ コロコロクリーナー
□ ゴミ袋 □ フローリングワイパー □ ほうき □ ちりとり □ デッキブラシ
□ モップ □ はたき □ 殺虫剤 □ 防虫剤 □ ダニ退治用品 □ 蚊取り線香
□ 消臭剤・脱臭剤 □ 芳香剤 □ 除湿剤・乾燥剤 □ キッチンスポンジ
□ たわし・スチールウール □ 台所用ふきん □ 換気扇フィルター・カバー
□ ガスレンジカバー・レンジガード □ 食器洗い洗剤
□ クレンザー・油汚れ洗剤 □ 食洗機用洗剤 □ 重曹 □ クエン酸
□ キッチン用漂白剤 □ 掃除用万能洗剤 □ フローリングワックス
□ 床用洗剤 □ 網戸・ガラスクリーナー □ 壁紙・カーペットクリーナー
□ エアコン洗浄スプレー □ 家具用ワックス・クリーナー □ 洗濯槽クリーナー
□ 衣類洗濯用洗剤 □ 柔軟剤 □ 洗濯漂白剤 □ 染み抜き剤
□ 静電気防止剤 □ 撥水スプレー □ ドライクリーニング用洗剤 □ 洗濯石鹸
□ アイロン □ アイロン台 □ 洗濯ハンガー □ 洗濯ネット
□ 洗濯バサミ・ピンチ □ ランドリーバスケット・ボックス □ 室内物干しスタンド
□ 洗濯板 □ 洗濯手洗いブラシ □ 物干し竿 □ 物干し台 □ 霧吹きスプレー
□ ピンチハンガー □ パラソルハンガー □ 糸くずフィルター
□ タオルハンガー・スタンド □ 風呂用スポンジ・ブラシ □ 風呂用洗剤
□ 風呂釜洗浄剤 □ 風呂用カビ取り剤 □ 風呂用排水目皿・ヘアキャッチャー
□ 水垢クリーナー □ ボディタオル・スポンジ □ シャワーヘッド □ バスマット

□ シャンプーラック・バスラック □ ボディブラシ □ 洗面器・風呂桶
□ 防水時計 □ スピーカー □ シャワーホース・フック □ シャワーカーテン
□ 節水シャワーヘッド □ ソープディッシュ・石鹸置き □ バスチェア・風呂椅子
□ お風呂マット・すのこ □ 浴室鏡・曇り止め □ 風呂ふた □ フェイスタオル
□ バスタオル □ 手ぬぐい □ ハンドタオル □ バスローブ □ トイレブラシ
□ トイレ用洗剤 □ 便座クリーナー □ 便座カバー・シート
□ ペーパーホルダーカバー □ トイレマット □ トイレふたカバー
□ トイレポット □ トイレスリッパ □ トイレットペーパーホルダー
□ ソープディスペンサー □ 歯ブラシスタンド □ 歯ブラシカバー
□ ティッシュケース・カバー □ タオル掛け・タオルバー □ ハンドソープ
□ 歯磨きコップ □ 吸盤フック □ ドライヤーホルダー
□ 靴磨き用靴クリーム・靴墨 □ 靴ひも □ レザーオイル
□ 革靴用傷リペアグッズ □ 靴ブラシ □ 靴用クリーナー □ 靴底用接着剤
□ 靴べら・シューホーン □ 靴用消臭剤 □ 靴用防水スプレー
□ シューキーパー・シューツリー □ 靴磨き用布・スポンジ □ 靴用滑り止め
□ ブーツキーパー □ 靴用乾燥剤 □ ごみ箱 □ キッチン用ごみ箱
□ 空き缶つぶし機 □ まごの手 □ ライター □ マッチ □ 扇 □ 水銀体温計
□ 電子蚊取り器 □ 南京錠 □ オブラート

備える（調べるだけも可）

□ 防災・防犯グッズ

□ インスタントコーヒー □ パンの缶詰 □ アルファ米 □ 保存水
□ レトルト・フリーズドライ食品 □ 乾パン・お菓子 □ 防災ラジオ □ 救急箱
□ 簡易浄水器・ウォータータンク □ 防災頭巾・ヘルメット □ 非常持出袋
□ 携帯・簡易トイレ □ 寝袋・レスキューシート □ 緊急用ホイッスル
□ サバイバルキット □ 懐中電灯 □ マッチ □ ろうそく □ 使い捨てカイロ
□ ブランケット □ 軍手 □ 歯ブラシ・歯磨き粉 □ タオル □ マスク
□ 手指消毒用アルコール □ 石鹸・ハンドソープ □ ウエットティッシュ
□ 体温計 □ レインウェア □ 家具転倒防止用品 □ 消火器・消火剤
□ 防犯ブザー □ 防犯センサー □ 金庫 □ 鍵・錠前

□ 薬

□ 目薬 □ 鎮痛解熱消炎剤 □ 総合感冒薬 □ 発熱・のどの薬 □ 鼻水の薬
□ 咳の薬 □ 漢方（葛根湯） □ 頭痛薬 □ 鼻炎治療薬 □ うがい薬
□ のどスプレー □ トローチ・飴 □ 乗物酔用薬 □ 鎮静剤 □ 眠気防止剤
□ 総合ビタミン剤 □ ビタミンB_1主剤 □ ビタミンB_2主剤 □ ビタミンB_{12}主剤

□ ビタミンC剤 □ ビタミンE剤 □ ビタミンEC剤 □ カルシウム剤
□ 滋養強壮ドリンク □ 肉体疲労・栄養補給（ビタミン）ドリンク □ 胃腸薬
□ 整腸剤 □ 下痢止め □ 便秘薬 □ 湿疹・皮膚炎用薬 □ 虫さされ薬
□ 虫よけ用品 □ 発毛・養毛剤 □ 水虫薬 □ 口内炎治療薬 □ 口唇薬
□ 尿検査薬 □ 妊娠検査薬 □ 排卵検査薬 □ 避妊薬
□ 遺伝子検査キット □ プロテインサプリメント □ アミノ酸サプリメント
□ ミネラルサプリメント □ ハーブサプリメント □ 湿布薬 □ 禁煙補助剤
□ お灸

MEMO

MEMO

MEMO

飲茶が選ぶ、ぜひあなたに体験してほしいこと

□ 飲茶の哲学入門書を読む □ 飲茶の配信を聴く □『刃牙』シリーズを読む
□ 一人カラオケ □ 一人ファミレス □ 一人焼き肉 □ 一人ボーリング
□ 一人すごろく □ 一人映画 □ 一人鍋 □ 一人居酒屋 □ 一人プリクラ
□ 一人バイキング □ 一人高級レストラン □ 一人バーベキュー
□ 一人ビリヤード □ 一人遊園地 □ 一人花火 □ 一人旅 □ 一人ストライキ
□ 食事を1日断つ □ 思考を1日断つ □ テレビを1日断つ □ ゲームを1日断つ
□ SNSを1日断つ □ SNSを2日断つ □ SNSを3日断つ □ スマホを1日断つ
□ スマホを2日断つ □ スマホを3日断つ □ 全裸で1日過ごす
□ 呼吸を1分意識する □ 呼吸を3分意識する □ 呼吸を5分意識する
□ 呼吸を10分意識する □ 呼吸を30分意識する □ 呼吸を1時間意識する
□ 呼吸を3時間意識する □ 呼吸を6時間意識する □ 呼吸を1日意識する
□ 背すじを意識して1日過ごす □ 耳鳴りを意識して1日過ごす
□ 自分の感情を意識して1日過ごす □ 自分の思考を意識して1日過ごす

──「体験のチェックリスト」は本来、多人数（集合知）で作るものであり、随時更新可能なスマホアプリで作るのがベストだと思っています。飲茶と一緒に『体験の哲学』アプリを作りたい方はツイッターなどでご連絡ください。それではよき体験を！

カバーデザイン	山之口正和（OKIKATA）
本文デザイン	山之口正和 ＋ 沢田幸平（OKIKATA）
本文イラスト	関根庸子（sugar）
校正	東京出版サービスセンター
DTP	アレックス

飲茶 (やむちゃ)

東北大学大学院修了。哲学作家、経営者、漫画原作者。

哲学や科学を楽しくわかりやすく解説したブログを立ち上げ人気となる。

著書に『史上最強の哲学入門』『14歳からの哲学入門』『正義の教室』『哲学的な何か、あと科学とか』などがある。

現在は、初体験を味わうため配信プラットフォーム「シラス」で哲学を語る番組を配信中。

体験の哲学
地上最強の人生に役立つ哲学活用法

2021年6月14日　第1刷発行

著者　飲茶
発行者　千葉 均
編集　村上峻亮
発行所　株式会社ポプラ社
〒102-8519　東京都千代田区麹町4-2-6
一般書ホームページ www.webasta.jp
印刷・製本　中央精版印刷株式会社

N.D.C. 159/223P/17cm　ISBN978-4-591-17023-6

P8008344